#교과서×사고력
#게임하듯공부해
#스티커게임?리얼공부!

Go! 매쓰
초등 수학

저자 김보미

- 네이버 대표카페 '성공하는 공부방 운영하기' 운영자
- '미래엔', '메가스터디', '천재교육' 교재 기획 및 집필
- 전국 1,000개 이상의 공부방/선생님 컨설팅 및 교육
- 현재 〈GO! 매쓰〉 수학 공부방 운영

Chunjae
Maketh
Chunjae

▼

기획총괄	김안나
편집개발	이근우, 장지현, 서진호, 한인숙, 최수정, 김혜민, 장효선, 박웅
디자인총괄	김희정
표지디자인	윤순미
내지디자인	박희춘, 이혜미
제작	황성진, 조규영

발행일	2020년 10월 1일 2판 2020년 10월 1일 1쇄
발행인	(주)천재교육
주소	서울시 금천구 가산로9길 54
신고번호	제2001-000018호
고객센터	1577-0902
교재 구입 문의	1522-5566

교과서 GO! 사고력 GO!

GO! 매쓰

GO!

Start
교과서 개념

수학 2-1

구성과 특징

1 교과서 개념 잡기

교과서 개념을 익힌 다음 개념 OX 또는
개념 Play로 개념을 확인하고 개념 확
인 문제를 풀어 보세요.

> 개념 OX 또는 개념 Play로 개념
> 을 재미있게 확인할 수 있습니다.

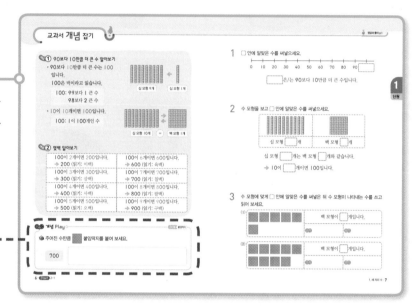

2 교과서 개념 play

개념을 게임으로 학습하면서 집중
력을 높여 개념을 익히고 기본을 탄
탄하게 만들어요.

재미 UP!
실력 UP!

Play 붙임딱지를 활용하여 손잡이를 접어 붙였다 떼었다를 반복하면
하나의 게임도 여러 번 할 수 있습니다.

3 집중! 드릴 문제

각 단원에 꼭 필요한 기초 문제를 반복
하여 풀어 보면 기초력을 향상시킬 수
있어요.

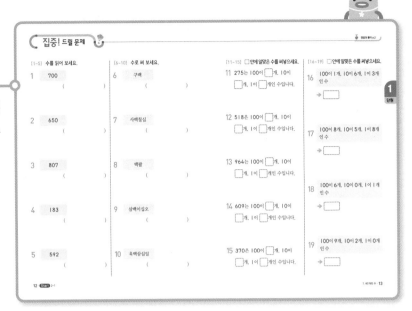

4 교과서 개념 확인 문제

교과서와 익힘책의 다양한 유형의 문제
를 풀어 볼 수 있어요.

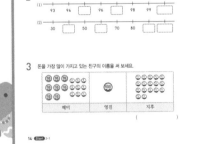

5 개념 확인평가

각 단원의 개념을 잘 이해하였는지 평
가하여 배운 내용을 정리할 수 있어요.

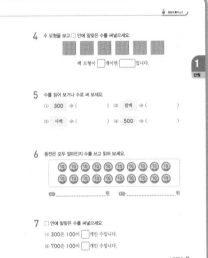

차례

1 세 자리 수

개념 ① 90보다 10만큼 더 큰 수 알아보기

· 90보다 10만큼 더 큰 수는 100
  입니다.
  100은 백이라고 읽습니다.

> 100: 99보다 1 큰 수
>   98보다 2 큰 수

십 모형 9개   십 모형 1개

· 10이 10개이면 100입니다.

> 100: 1이 100개인 수

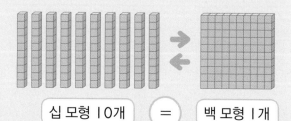

십 모형 10개 = 백 모형 1개

개념 ② 몇백 알아보기

100이 2개이면 200입니다. → 200 (읽기: 이백)	100이 6개이면 600입니다. → 600 (읽기: 육백)
100이 3개이면 300입니다. → 300 (읽기: 삼백)	100이 7개이면 700입니다. → 700 (읽기: 칠백)
100이 4개이면 400입니다. → 400 (읽기: 사백)	100이 8개이면 800입니다. → 800 (읽기: 팔백)
100이 5개이면 500입니다. → 500 (읽기: 오백)	100이 9개이면 900입니다. → 900 (읽기: 구백)

개념 Play ○────────────────────────── 준비물 붙임딱지

🎓 주어진 수만큼 [　] 붙임딱지를 붙여 보세요.

700	

1 □ 안에 알맞은 수를 써넣으세요.

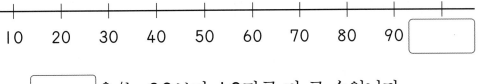

□ 은/는 90보다 10만큼 더 큰 수입니다.

2 수 모형을 보고 □ 안에 알맞은 수를 써넣으세요.

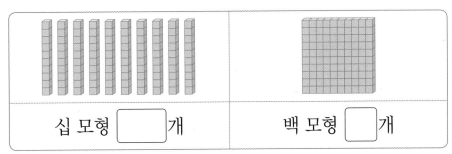

십 모형 □ 개는 백 모형 □ 개와 같습니다.

➡ 10이 □ 개이면 100입니다.

3 수 모형에 맞게 □ 안에 알맞은 수를 써넣은 뒤 수 모형이 나타내는 수를 쓰고 읽어 보세요.

(1)

백 모형이 □ 개입니다.

쓰기   읽기

(2)

백 모형이 □ 개입니다.

쓰기   읽기

개념 ③ 세 자리 수 알아보기

백 모형	십 모형	일 모형
100이 3개	10이 5개	1이 4개

100이 3개, 10이 5개, 1이 4개이면 354입니다.

354는 삼백오십사라고 읽습니다.

백 모형	십 모형	일 모형
100이 4개	10이 0개	1이 6개

100이 4개, 10이 0개, 1이 6개이면 406입니다.

406은 사백육이라고 읽습니다.

주의

0은 수로 나타낼 때만 쓰고 읽지는 않아요. 406 ➡ 사백영육 (×) 　　　사백육 (○)	자리의 숫자가 1일 때는 값만 읽어요. 513 ➡ 오백일십삼 (×) 　　　오백십삼 (○)

개념 Play

준비물 붙임딱지

주어진 수만큼 , 붙임딱지를 붙여 보세요.

수	백 모형	십 모형	일 모형
362			

1 수 모형이 나타내는 수를 쓰고 읽어 보려고 합니다. ☐ 안에 알맞은 수와 말을 써넣으세요.

백 모형	십 모형	일 모형
100이 ☐개	10이 ☐개	1이 ☐개

➡ ☐ (이)라 쓰고 ☐ (이)라고 읽습니다.

2 수 모형이 나타내는 수를 쓰고 읽어 보세요.

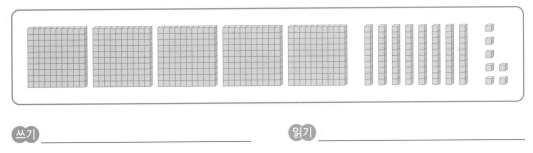

쓰기 _____   읽기 _____

3 빨대의 수를 쓰고 읽어 보세요.

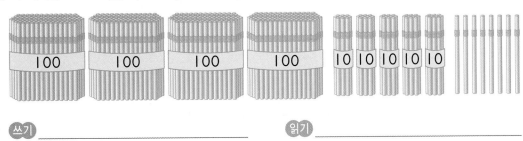

쓰기 _____   읽기 _____

교과서 개념 play 모은 돈에 맞게 동전 붙이기

동물들이 지금까지 모은 돈입니다. 각 동물들이 모은 돈에 맞도록 동전 붙임딱지를 알맞게 붙여 주세요.

273원

105원

250원

100이 ☐ 개, 10이 ▲개, 1이 ⬤ 개이면

☐ 입니다.

564원

200원

기린이 모은 돈을
정하고 붙임딱지를
붙여 보세요.

집중! 드릴 문제

[1~5] 수를 읽어 보세요.

1 700

(   )

2 650

(   )

3 807

(   )

4 183

(   )

5 592

(   )

[6~10] 수로 써 보세요.

6 구백

(   )

7 사백칠십

(   )

8 백팔

(   )

9 삼백이십오

(   )

10 육백삼십일

(   )

[11~15] □ 안에 알맞은 수를 써넣으세요.

11 275는 100이 □개, 10이 □개, 1이 □개인 수입니다.

12 518은 100이 □개, 10이 □개, 1이 □개인 수입니다.

13 964는 100이 □개, 10이 □개, 1이 □개인 수입니다.

14 609는 100이 □개, 10이 □개, 1이 □개인 수입니다.

15 370은 100이 □개, 10이 □개, 1이 □개인 수입니다.

[16~19] □ 안에 알맞은 수를 써넣으세요.

16 100이 1개, 10이 6개, 1이 3개
인 수

➡ □

17 100이 8개, 10이 5개, 1이 8개
인 수

➡ □

18 100이 6개, 10이 0개, 1이 1개
인 수

➡ □

19 100이 9개, 10이 2개, 1이 0개
인 수

➡ □

1 수 모형을 보고 □ 안에 알맞은 수나 말을 써넣으세요.

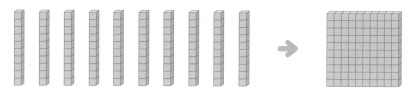

(1) 10개씩 10묶음은 □ 입니다.

(2) 100은 □ 이라고 읽습니다.

2 □ 안에 알맞은 수를 써넣으세요.

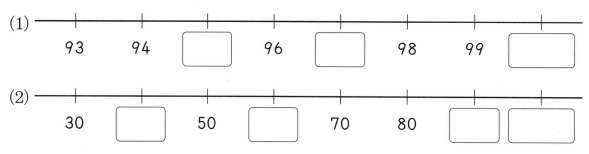

(1) 93 94 □ 96 □ 98 99 □

(2) 30 □ 50 □ 70 80 □ □

3 돈을 가장 많이 가지고 있는 친구의 이름을 써 보세요.

| 혜미 | 영진 | 지후 |

(   )

4 수 모형을 보고 □ 안에 알맞은 수를 써넣으세요.

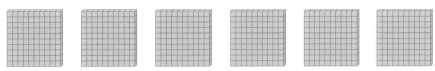

백 모형이 □개이면 □입니다.

5 수를 읽어 보거나 수로 써 보세요.

(1) 300 ➡ (   )   (2) 팔백 ➡ (   )

(3) 사백 ➡ (   )   (4) 500 ➡ (   )

6 동전은 모두 얼마인지 수를 쓰고 읽어 보세요.

쓰기 _____ 원   읽기 _____ 원

7 □ 안에 알맞은 수를 써넣으세요.

(1) 300은 100이 □개인 수입니다.

(2) 700은 100이 □개인 수입니다.

8 같은 수끼리 이어 보세요.

100	•		•	100이 **3**개인 수
800	•		•	10이 **10**개인 수
300	•		•	100이 **8**개인 수

9 옳은 것에 ○표, 틀린 것에 ×표 하세요.

(1)   10이 **6**개이면 **600**입니다.   ································· (   )

(2)   100이 **9**개이면 **900**입니다.   ································· (   )

(3)   **500**은 100이 **5**개인 수입니다.   ································· (   )

10 수 모형이 나타내는 수를 쓰고 읽어 보세요.

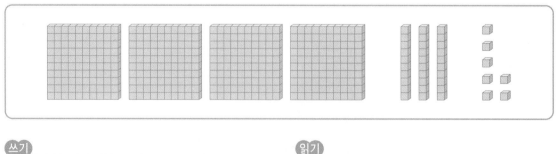

쓰기 _____   읽기 _____

11 수를 읽어 보거나 수로 써 보세요.

(1) 328

➡ (   )

(2) 팔백사

➡ (   )

(3) 육백십오

➡ (   )

(4) 796

➡ (   )

12 수로 바르게 나타낸 것에 ○표 하세요.

| 사백이십삼 | 432 | 400203 |
| | 423 | 243 |

13 순서에 맞게 빈칸에 알맞은 수를 써넣으세요.

| 101 | 102 | 103 | 104 | | | 107 | | 109 | |
| 111 | | | | 115 | | | 118 | | |

14 나경이는 100원짜리 동전 8개, 10원짜리 동전 5개, 1원짜리 동전 2개를 가지고 있습니다. 나경이가 가지고 있는 돈은 모두 얼마일까요?

(   )

교과서 개념 잡기

개념 ④ 각 자리의 숫자는 얼마를 나타내는지 알아보기

백의 자리	십의 자리	일의 자리
2	5	3

↓

2	0	0
	5	0
		3

2는 백의 자리 숫자이고, 200을 나타냅니다.

5는 십의 자리 숫자이고, 50을 나타냅니다.

3은 일의 자리 숫자이고, 3을 나타냅니다.

253＝200＋50＋3

개념 ⑤ 뛰어서 세기

• 100씩 뛰어서 세기: 백의 자리 숫자가 1씩 커집니다.

| 100 | 200 | 300 | 400 | 500 | 600 | 700 | 800 | 900 |

• 10씩 뛰어서 세기: 십의 자리 숫자가 1씩 커집니다.

| 910 | 920 | 930 | 940 | 950 | 960 | 970 | 980 | 990 |

• 1씩 뛰어서 세기: 일의 자리 숫자가 1씩 커집니다.

| 991 | 992 | 993 | 994 | 995 | 996 | 997 | 998 | 999 | ? |

999보다 1만큼 더 큰 수는 1000입니다.
1000은 천이라고 읽습니다.

1000

개념 O X

뛰어서 세었습니다. 닭이 있는 곳에 알맞은 수를 찾아 ○표 하세요.

555   565

265 365 465   665 765

1 수 모형이 나타내는 수를 보고 ☐ 안에 알맞은 수를 써넣으세요.

백 모형	십 모형	일 모형
100이 ☐ 개	10이 ☐ 개	1이 ☐ 개

➡ 385에서 3은 ☐ 을/를 나타내고

8은 ☐ 을/를 나타내고

5는 ☐ 을/를 나타냅니다.

2 각 자리의 숫자는 얼마를 나타내는지 알아보려고 합니다. ☐ 안에 알맞은 수를 써넣으세요.

	백의 자리	십의 자리	일의 자리
자리의 숫자	7	9	4
나타내는 값	100이 7개 = ☐	10이 9개 = ☐	1이 4개 = ☐

➡ 794 = ☐ + ☐ + ☐

3 뛰어서 세었습니다. 빈칸에 알맞은 수를 써넣으세요.

100씩 뛰어서 세기

| 207 | 307 | 407 | | 607 | 707 | | 907 |

1. 세 자리 수 · **19**

개념 6 어느 수가 더 큰지 알아보기

• 수 모형으로 나타내어 비교하기

	백 모형	십 모형	일 모형
261 →			
	백 모형 2개	십 모형 6개	일 모형 1개
324 →			
	백 모형 3개	십 모형 2개	일 모형 4개
크기 비교 →	백 모형의 수를 비교하면 2<3이므로 261<324입니다.		

• 각 자리의 수를 이용해 비교하기

	백의 자리	십의 자리	일의 자리
261 →	2	6	1
237 →	2	3	7
크기 비교 →	백의 자리 숫자가 2로 같아요.	십의 자리 숫자를 비교하면 6>3이므로 261>237입니다.	

개념 O X

두 수의 크기 비교가 바른 곳에 ○표 하세요.

234<265

234>265

1 ○ 안에 > 또는 <를 알맞게 써넣으세요.

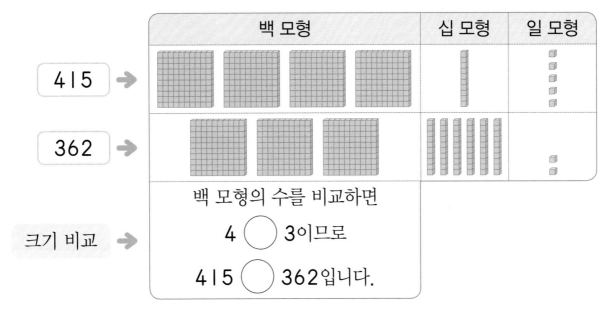

	백 모형	십 모형	일 모형
415 →			
362 →			

크기 비교 →

백 모형의 수를 비교하면

4 ◯ 3이므로

415 ◯ 362입니다.

2 □ 안에 알맞은 수를 써넣고 ○ 안에 > 또는 <를 알맞게 써넣으세요.

	백의 자리	십의 자리	일의 자리
473 →	4	7	3
458 →	□	□	□

크기 비교 →

백의 자리 숫자가 □(으)로 같습니다.

십의 자리 숫자를 비교하면

7 ◯ □이므로

473 ◯ 458입니다.

3 두 수의 크기를 비교하여 ○ 안에 > 또는 <를 알맞게 써넣으세요.

(1) 561 ◯ 564　　(2) 708 ◯ 705

준비물 붙임딱지

규칙에 따라 뛰어서 센 수 카드를 모아 놓은 것입니다. 빈 곳에 알맞은 수 붙임딱지를 붙여 카드를 완성하고 분홍색 카드에 적힌 수의 크기를 비교해 보세요.

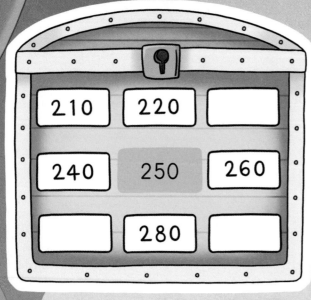

250 ◯ 247

◯

295 296 297
298 □ 300
□ □ □

283 □ 343
□ 323 353
□ 333 □

□ ○ □

366 376 386
396 □ □
□ □ 446

417 420 □
418 □ □
419 422 □

□ ○ □

집중! 드릴 문제

[1~5] 100씩 뛰어서 세어 보세요.

1
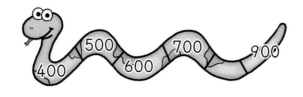
400 500 600 700 900

2

370 470 570 870

3
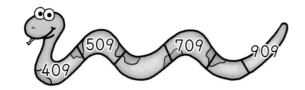
409 509 709 909

4

413 513 813 913

5
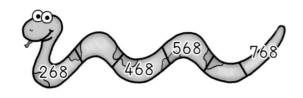
268 468 568 768

[6~10] 1씩 뛰어서 세어 보세요.

6

800 801 802 803

7

264 265 266

8

377 378 380

9

497 498 501

10
896 898 899

[11~15] 뛰어서 세었습니다. 얼마씩 뛰어서 세었는지 써 보세요.

11
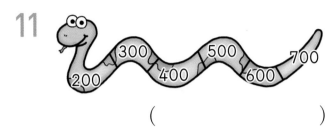
( )

12
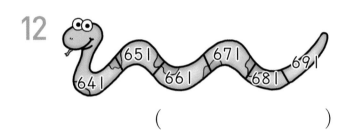
( )

13
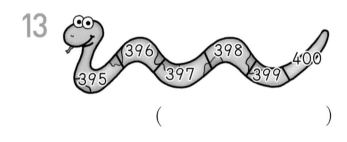
( )

14
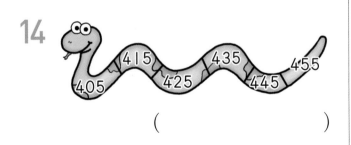
( )

15
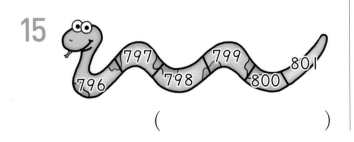
( )

[16~20] 두 수의 크기를 비교하여 ○ 안에 > 또는 <를 알맞게 써넣으세요.

16

17

18

19
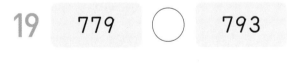

20
592 ◯ 596

1 수를 보고 ☐ 안에 알맞은 수를 써넣으세요.

862

8은 ☐ 을/를 나타냅니다.

6은 ☐ 을/를 나타냅니다.

2는 ☐ 을/를 나타냅니다.

2 수를 보고 빈칸에 알맞은 수를 써넣으세요.

379

	백의 자리	십의 자리	일의 자리
자리의 숫자	3		
나타내는 값		70	

3 백의 자리 숫자가 5인 수가 적힌 사과를 찾아 색칠해 보세요.

325   157   509

4 백의 자리 숫자가 4, 십의 자리 숫자가 2, 일의 자리 숫자가 6인 세 자리 수를 써 보세요.

(   )

5 보기 와 같이 나타내어 보세요.

보기
$$283 = 200 + 80 + 3$$

(1) $467 = \boxed{} + \boxed{} + \boxed{}$

(2) $805 = \boxed{} + \boxed{} + \boxed{}$

1 단원

6 □ 안에 알맞은 수나 말을 써넣으세요.

999보다 1만큼 더 큰 수는 $\boxed{}$ 이고 $\boxed{}$ 이라고 읽습니다.

7 밑줄 친 숫자가 나타내는 값을 써 보세요.

(1) 6<u>2</u>9 ➡ (   )   (2) <u>3</u>33 ➡ (   )

8 주어진 수만큼 뛰어서 세어 보세요.

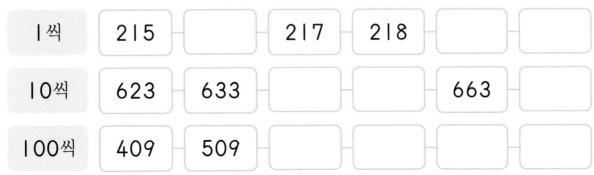

1씩	215		217	218		
10씩	623	633			663	
100씩	409	509				

9 □ 안에 알맞은 수를 써넣으세요.

684보다
- 1 큰 수는 [   ]
- 10 큰 수는 [   ]
- 100 큰 수는 [   ]
입니다.

10 수 모형을 보고 두 수의 크기를 비교하여 ○ 안에 > 또는 <를 알맞게 써넣으세요.

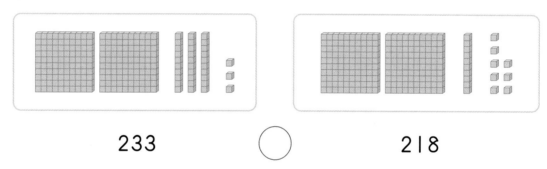

233 　　○　　 218

11 다음을 > 또는 <를 사용하여 나타내어 보세요.

(1) 703은 698보다 큽니다. ➡ (　　　　　　　　　　)

(2) 571은 812보다 작습니다. ➡ (　　　　　　　　　　)

12 수의 크기를 비교하여 가장 큰 수를 찾아 써 보세요.

398	271	403	156

(　　　　　　　)

13 두 수의 크기를 비교하여 ○ 안에 > 또는 <를 알맞게 써넣으세요.

(1) 537 ◯ 사백칠십오

(2) 500 ◯ 498

(3) 팔백이 ◯ 820

(4) 316 ◯ 324

14 수 카드를 한 번씩 사용하여 세 자리 수를 만들려고 합니다. 만들 수 있는 세 자리 수 중 가장 큰 수와 가장 작은 수를 각각 구해 보세요.

가장 큰 수 (   )

가장 작은 수 (   )

15 378에서 100씩 3번 뛰어서 센 수는 얼마일까요?

(   )

16 어느 과일 가게에 귤이 375개, 사과가 402개 있습니다. 더 많이 있는 과일은 무엇일까요?

(   )

1 □ 안에 알맞은 수를 써넣으세요.

90보다 □ 큰 수 ┐
80보다 □ 큰 수 ┘ 는 100입니다.

2 □ 안에 알맞은 수를 써넣으세요.

100이 4개 ┐
10이 7개 ┤ 인 수는 □ 입니다.
1이 6개 ┘

3 수를 읽어 보세요.

(1) 718

( )

(2) 509

( )

4 수로 나타내어 보세요.

(1) 팔백사십

( )

(2) 구백구십삼

( )

5 10씩 뛰어서 세어 보세요.

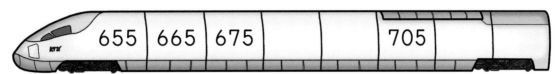

6 1씩 뛰어서 세어 보세요.

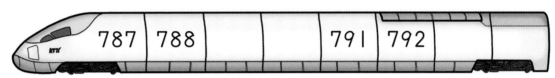

7 십의 자리 숫자가 7인 수를 모두 찾아 써 보세요.

| 762 | 471 | 397 | 577 | 707 |

(   )

8 두 수의 크기를 비교하여 ○ 안에 > 또는 <를 알맞게 써넣으세요.

(1) 304 ○ 289

(2) 552 ○ 560

9 밑줄 친 숫자는 얼마를 나타내는지 써 보세요.

(1) 1<u>6</u>8

(2) <u>8</u>30

(   )   (   )

10 상혁이는 색종이 250장과 도화지 246장을 가지고 있습니다. 색종이와 도화지 중 더 많은 것은 무엇일까요?

(   )

11 □ 안에 들어갈 수 있는 수를 모두 찾아 ○표 하세요.

79□ < 795

(1 , 2 , 3 , 4 , 5 , 6 , 7 , 8 , 9)

12 □의 수는 백의 자리 숫자, ○의 수는 십의 자리 숫자, △의 수는 일의 자리 숫자를 나타냅니다. 보기 처럼 나타낼 때 436은 어떤 모양을 나타낸 수일까요?

보기
□□○○○○△ → 241
□□□□△△△△ → 304

(   )

2 여러 가지 도형

학습 계획표

내용	쪽수	날짜		확인
교과서 **개념** 잡기	34~37쪽	월	일	
교과서 **개념** play / **집중!** 드릴 문제	38~41쪽	월	일	
교과서 **개념 확인** 문제	42~45쪽	월	일	
교과서 **개념** 잡기	46~49쪽	월	일	
교과서 **개념** play / **집중!** 드릴 문제	50~53쪽	월	일	
교과서 **개념 확인** 문제	54~57쪽	월	일	
개념 확인평가	58~60쪽	월	일	

교과서 **개념** 잡기

개념 ① ○ 알아보기

그림과 같은 모양의 도형을 원이라고 합니다.

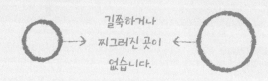

길쭉하거나 찌그러진 곳이 없습니다.

- 원의 특징

  ① 어느 쪽에서 보아도 똑같이 동그란 모양입니다.

  ② 뾰족한 부분과 곧은 선이 없이 굽은 선으로 이어져 있습니다.

  ③ 크기는 다르지만 생긴 모양이 서로 같습니다.

개념 ② △ 알아보기

그림과 같은 모양의 도형을 삼각형이라고 합니다.

 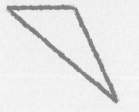 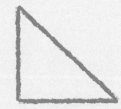

- 삼각형의 특징

  ① 곧은 선들로 둘러싸여 있습니다.

  ② 변이 3개, 꼭짓점이 3개입니다.

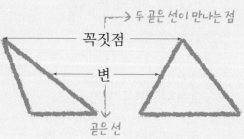

두 곧은 선이 만나는 점
꼭짓점
변
곧은 선

🎮 **개념 O X**

🎓 원에 ○표 하세요.

1 도형의 이름을 써 보세요.

(1)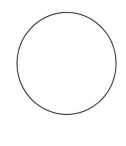

(   )

(2)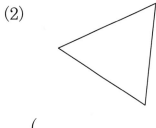

(   )

2 그림을 보고 물음에 답하세요.

(1) 원은 모두 몇 개일까요?

(   )

(2) 삼각형은 모두 몇 개일까요?

(   )

3 점 3개를 곧은 선으로 이어 서로 다른 삼각형을 2개 그려 보세요.

개념 ③ □ **알아보기**

그림과 같은 모양의 도형을 사각형이라고 합니다.

 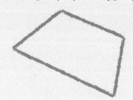 

- 사각형의 특징

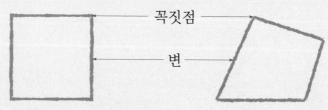

① 곧은 선들로 둘러싸여 있습니다.
② 변이 4개, 꼭짓점이 4개입니다.

- 사각형 그리기

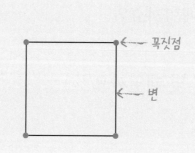

점 4개를
곧은 선으로
이어 사각형을
그립니다.

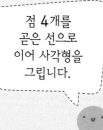

개념 O X

사각형에 ○표 하세요.

1 사각형을 보고 물음에 답하세요.

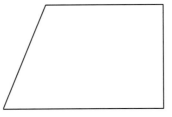

(1) 사각형의 변은 몇 개일까요?

(   )

(2) 사각형의 꼭짓점은 몇 개일까요?

(   )

2
단원

2 사각형은 모두 몇 개일까요?

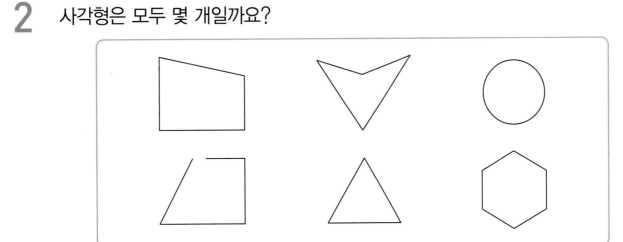

(   )

3 주어진 선을 한 변으로 하는 사각형을 그려 보세요.

(1)
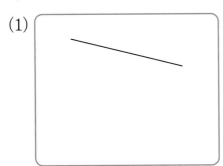

(2)

물건을 구분하고 특징 찾기

집 안에 있는 물건을 모양에 따라 구분하여 정리하려고 합니다. 모양에 따라 알맞게 물건 붙임딱지를 붙이고 각 모양의 특징을 찾아 모두 이어 보세요.

어느 쪽에서 보아도 똑같이 동그란 모양입니다.

곧은 선들로 둘러싸여 있습니다.

뾰족한 부분이 없습니다.

꼭짓점이 **4**개입니다.

변이 **3**개입니다.

크기는 모두 다르지만 생긴 모양은 모두 같습니다.

변이 **4**개입니다.

굽은 선이 있습니다.

꼭짓점이 **3**개입니다.

[1~4] 원에 모두 ◯표 하세요.

1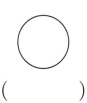

(   )   (   )

2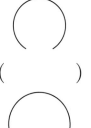

(   )   (   )

(   )   (   )

3

(   )   (   )

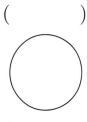

(   )   (   )

4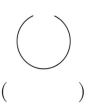

(   )   (   )

(   )   (   )

[5~8] 삼각형에 모두 △표 하세요.

5

(   )   (   )

6

(   )   (   )

(   )   (   )

7

(   )   (   )

(   )   (   )

8

(   )   (   )

 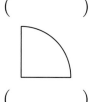

(   )   (   )

[9~12] 사각형에 모두 □표 하세요.

9

(   )   (   )

10

   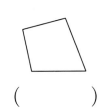

(   )   (   )

11

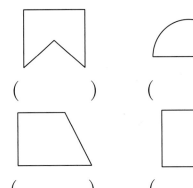

(   )   (   )

(   )   (   )

12

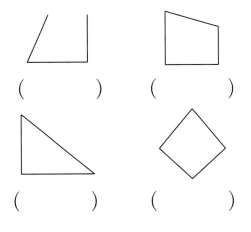

(   )   (   )

(   )   (   )

[13~15] 꼭짓점에 모두 ○표 하세요.

13

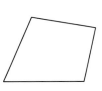

14

15

[16~18] 변에 모두 ○표 하세요.

16

17

18

1 원을 찾아 기호를 써 보세요.

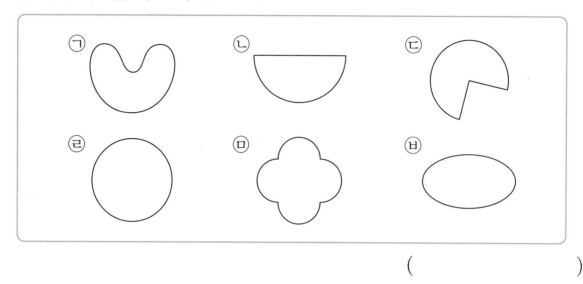

( )

2 원에 대하여 바르게 말한 사람의 이름을 써 보세요.

> 명철: 뾰족한 부분이 있어.
>
> 가은: 곧은 선으로 둘러싸여 있어.
>
> 지영: 모든 원은 크기는 다르고 모양은 같아.
>
> 진주: 둥근 부분과 뾰족한 부분이 있어.

( )

3 ☐ 안에 알맞은 말을 써넣으세요.

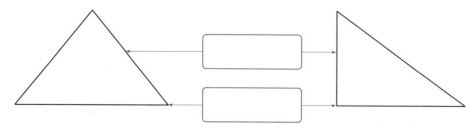

4 점을 모두 곧은 선으로 이어서 만들어지는 도형의 이름을 써 보세요.

(   )

5 삼각형을 보고 □ 안에 알맞은 수를 써넣으세요.

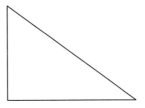

(1) 삼각형은 변이 □개입니다.

(2) 삼각형은 꼭짓점이 □개입니다.

6 삼각형에 대한 설명입니다. 맞으면 ○표, 틀리면 ×표 하세요.

(1)   변이 **4**개 있습니다.   ·························· (   )

(2)   꼭짓점이 **3**개 있습니다.   ·························· (   )

(3)   굽은 선으로 둘러싸여 있습니다.   ·················· (   )

7 그림과 같은 도형의 이름을 써 보세요.

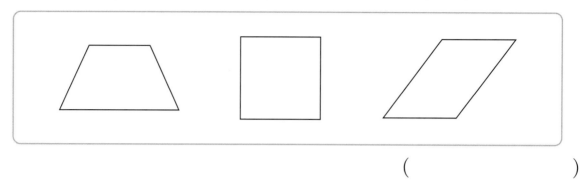

(   )

8 왼쪽과 같은 사각형을 오른쪽에 그려 보세요.

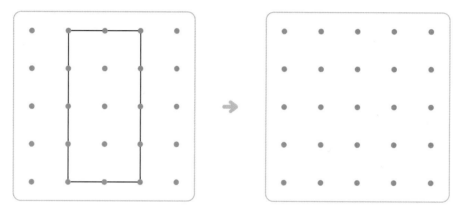

9 삼각형은 모두 몇 개일까요?

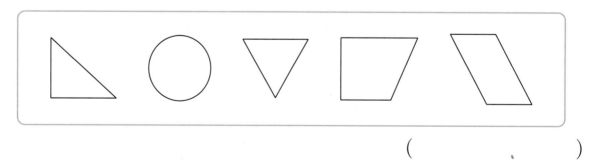

(   )

10 원은 모두 몇 개일까요?

(   )

11 삼각형의 변의 수와 사각형의 꼭짓점의 수의 합은 몇 개일까요?

(   )

12 다음 도형을 점선을 따라 자르면 어떤 도형이 몇 개 생길까요?

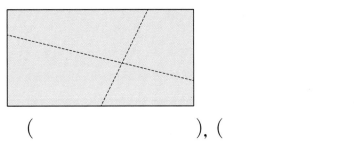

(   ), (   )

13 삼각형과 사각형의 공통점을 모두 찾아 기호를 써 보세요.

> ㉠ 변과 꼭짓점이 있습니다.
> ㉡ 굽은 선이 있습니다.
> ㉢ 변과 꼭짓점이 각각 **3**개씩 있습니다.
> ㉣ 곧은 선들로 둘러싸여 있습니다.

(   )

교과서 **개념** 잡기

개념 ④ 칠교판으로 모양 만들기

- 칠교판 조각 수: **7개**
  삼각형 조각: ①, ②, ③, ⑤, ⑦ ➡ **5개**
  사각형 조각: ④, ⑥ ➡ **2개**

개념 ⑤ ⬠과 ⬡ 알아보기

그림과 같은 모양의 도형을 오각형이라고 합니다.

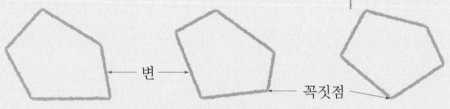

→ 변과 꼭짓점이 각각 5개입니다.

변 꼭짓점

그림과 같은 모양의 도형을 육각형이라고 합니다.

→ 변과 꼭짓점이 각각 6개입니다.

변 꼭짓점

■각형에서 ■는 변과 꼭짓점의 수를 나타냅니다.

개념 O X

🎓 오각형에 ○표 하세요.

1 칠교판을 보고 물음에 답하세요.

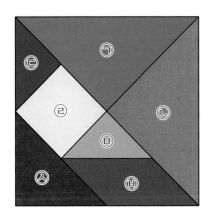

(1) 삼각형 조각을 모두 찾아 기호를 써 보세요.

(   )

(2) 칠교판 조각 ㉠과 ㉡을 모두 이용하여 사각형을 만들어 보세요.

2 도형을 보고 ☐ 안에 알맞은 수나 말을 써넣으세요.

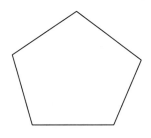

• 변: ☐ 개

• 꼭짓점: ☐ 개

• 도형의 이름: ☐

3 점 6개를 곧은 선으로 이어 육각형을 완성해 보세요.

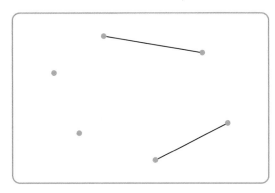

개념 ⑥ 똑같은 모양으로 쌓기

• 쌓기나무로 쌓은 모양을 보고 똑같이 쌓기

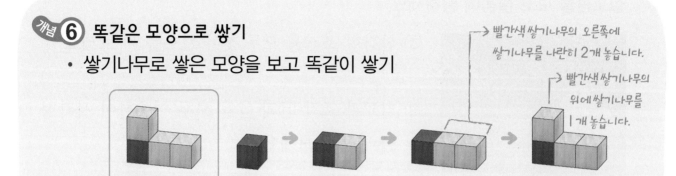

→ 빨간색쌓기나무의 오른쪽에 쌓기나무를 나란히 2개 놓습니다.

→ 빨간색쌓기나무의 위에쌓기나무를 1개 놓습니다.

→ 똑같은 모양을 만들기 위해 필요한 쌓기나무는 **4**개입니다.

똑같은 모양으로 쌓으려면 쌓기나무의 전체적인 모양, 쌓기나무의 수, 쌓기나무의 색, 쌓기나무를 놓는 위치나 방향, 쌓기나무의 층수 등을 생각해야 합니다.

개념 ⑦ 여러 가지 모양으로 쌓기

• 모양 만들고 만든 모양 설명하기

오른쪽

앞

→ 1층에 쌓기나무 **3**개가 옆으로 나란히 있고, 왼쪽 쌓기나무 위에 쌓기나무 **2**개가 있습니다.

• 쌓기나무 **5**개로 다양한 모양 만들기

예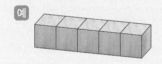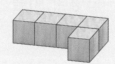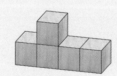

개념 OX

🎓 쌓기나무 **4**개로 쌓은 모양에 ○표 하세요.

1 보기 와 똑같이 쌓은 모양의 기호를 써 보세요.

보기

㉠

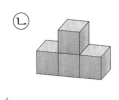
㉡

(   )

2 똑같은 모양으로 쌓으려면 쌓기나무가 몇 개 필요할까요?

(1)

(2)

(   )   (   )

3 초록색 쌓기나무의 왼쪽에 있는 쌓기나무에 ○표 하세요.

오른쪽

앞

4 쌓기나무 5개로 1층에 4개, 2층에 1개를 쌓은 모양에 ○표 하세요.

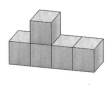

(   )   (   )

준비물 붙임딱지

칠교판 붙임딱지를 이용하여 사막에 주어진 도형을 각각 만들어 보세요.
칠교판 교구재를 이용하여 추가 학습도 해 보세요.

사다리를 타고 내려가서 쌓기나무의 수가 같은 쌓기나무 붙임딱지를 붙여 보세요.

집중! 드릴 문제

[1~4] 오각형에 ○표 하세요.

1

( )　　　( )

2
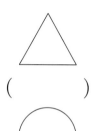

( )　　　( )

( )　　　( )

3

( )　　　( )

( )　　　( )

4
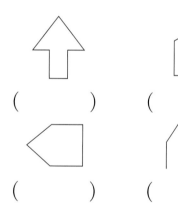

( )　　　( )

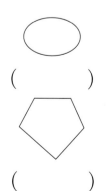

( )

[5~8] 육각형에 ○표 하세요.

5

( )　　　( )

6
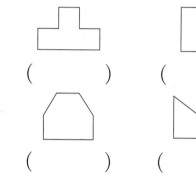

( )　　　( )

( )　　　( )

7
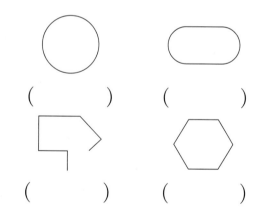

( )　　　( )

( )　　　( )

8
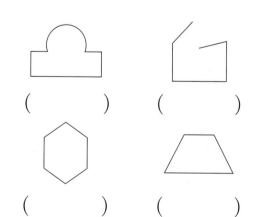

( )　　　( )

( )　　　( )

[9~10] 빨간색 쌓기나무의 오른쪽에 있는 쌓기나무에 ○표 하세요.

9

10

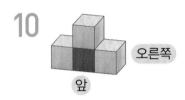

[11~12] 빨간색 쌓기나무의 위에 있는 쌓기나무에 ○표 하세요.

11

12

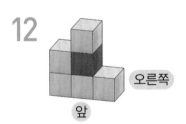

[13~14] 빨간색 쌓기나무의 아래에 있는 쌓기나무에 ○표 하세요.

13

14

[15~20] 똑같은 모양으로 쌓으려면 필요한 쌓기나무는 몇 개인지 써 보세요.

15

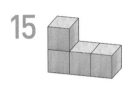

( )

16

( )

17

( )

18

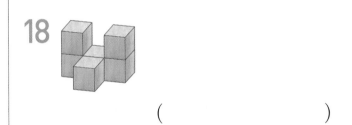

( )

19

( )

20

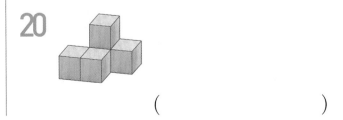

( )

1 칠교판을 보고 ☐ 안에 알맞은 수를 써넣으세요.

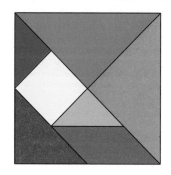

칠교판에는 삼각형 모양 조각이 ☐개,

사각형 모양 조각이 ☐개 있습니다.

2 주어진 세 조각을 모두 이용하여 사각형을 만들어 보세요.

(1)

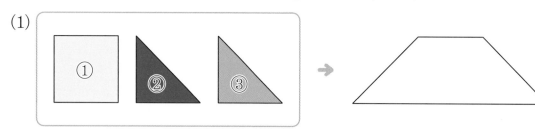

(2)

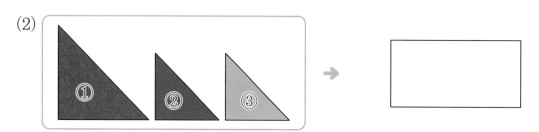

3 도형을 보고 표의 빈칸에 알맞은 수나 말을 써넣으세요.

도형	변의 수	꼭짓점의 수	도형의 이름

4 오각형을 모두 찾아 기호를 써 보세요.

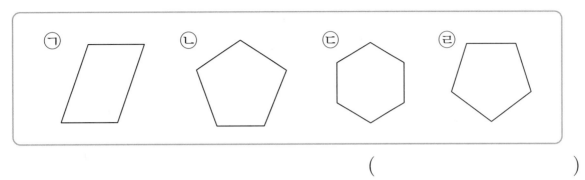

(   )

5 서로 다른 육각형을 2개 완성해 보세요.

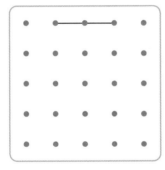 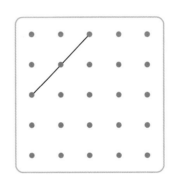

6 왼쪽 모양과 똑같은 모양으로 쌓은 것을 찾아 ○표 하세요.

(   ) (   ) (   )

7 □ 안에 알맞은 수를 써넣으세요.

(1) 오각형은 삼각형보다 변이 □개 더 많습니다.

(2) 육각형은 사각형보다 꼭짓점이 □개 더 많습니다.

8 다음과 똑같은 모양으로 쌓으려면 쌓기나무가 각각 몇 개 필요할까요?

(1)

(   )

(2)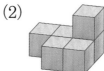

(   )

(3)

(   )

(4)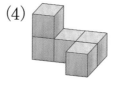

(   )

9 빨간색 쌓기나무의 위에 있는 쌓기나무를 찾아 ○표 하세요.

(1)

오른쪽

앞

(2)

오른쪽

앞

10 쌓기나무 I개를 옮겨 왼쪽 모양을 오른쪽 모양과 똑같이 만들려고 합니다. 옮길 수 있는 쌓기나무를 모두 찾아 기호를 써 보세요.

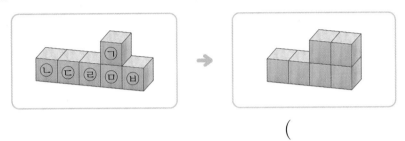

(   )

11 오른쪽과 똑같은 모양으로 쌓으려면 쌓기나무가 몇 개 필요한지 알아보려고 합니다. ☐ 안에 알맞은 수를 써넣으세요.

(1) 쌓기나무가 I층에는 ☐개, 2층에는 ☐개, 3층에는 ☐개 있습니다.

(2) 쌓기나무가 ☐개 필요합니다.

12 쌓은 모양을 바르게 나타내도록 보기 에서 알맞은 말이나 수를 골라 ☐ 안에 써넣으세요.

보기

위   앞   뒤   I   2   3

오른쪽

앞

I층에 쌓기나무 3개가 옆으로 나란히 있고, 오른쪽 쌓기나무의 ☐에 쌓기나무 ☐개가 있습니다.

1 도형의 이름을 써 보세요.

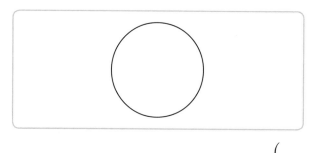

(   )

2 삼각형을 모두 찾아 색칠해 보세요.

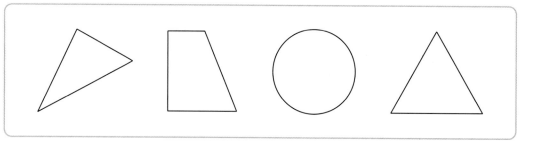

3 육각형을 1개 그려 보세요.

· · · · · · · · ·
· · · · · · · · ·
· · · · · · · · ·
· · · · · · · · ·

4 빈칸에 알맞은 수를 써넣으세요.

도형	변의 수	꼭짓점의 수
사각형	4	
오각형		5
육각형		

5 왼쪽 모양과 똑같이 쌓은 모양을 찾아 기호를 써 보세요.

  ㉠  ㉡ 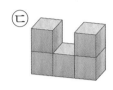 ㉢

( )

6 빨간색 쌓기나무의 왼쪽에 있는 쌓기나무에 ○표 하세요.

오른쪽

앞

7 주어진 선을 두 변으로 하는 오각형을 그리려고 합니다. 곧은 선을 몇 개 더 그 어야 할까요?

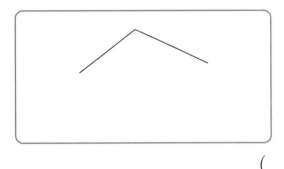

( )

8 설명 에 맞게 쌓은 쌓기나무 모양의 기호를 써 보세요.

설명
• 쌓기나무 **4**개로 쌓았습니다.
• **1**층에 **3**개, **2**층에 **1**개를 놓았습니다.

㉠  ㉡

( )

9 쌓기나무 **5**개로 쌓은 모양은 어느 것일까요? ···························· (   )

①   ② 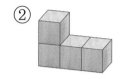   ③ 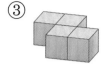   ④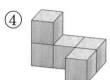

[10~11] 오른쪽 칠교판을 보고 물음에 답하세요.

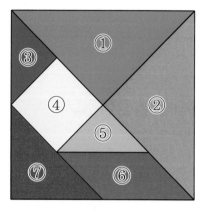

10 칠교판 조각에서 삼각형과 사각형 조각을 각각 찾아 번호를 써넣고 삼각형 조 각은 사각형 조각보다 몇 개 더 많은지 구해 보세요.

삼각형 조각	사각형 조각

(   )

11 칠교판 조각을 한 번씩 모두 이용하여 다음 모양을 만들어 보세요.

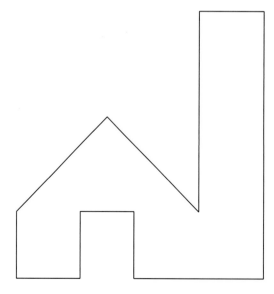

3 덧셈과 뺄셈

교과서 **개념** 잡기

개념 ① 덧셈하기

• 일의 자리에서 받아올림이 있는 (두 자리 수)+(한 자리 수)

$$
\begin{array}{r} 1\ 6 \\ +\quad 5 \\ \hline \end{array}
\ \Rightarrow\
\begin{array}{r} ^{1} \\ 1\ 6 \\ +\quad 5 \\ \hline 1 \end{array}
\ \Rightarrow\
\begin{array}{r} ^{1} \\ 1\ 6 \\ +\quad 5 \\ \hline 2\ 1 \end{array}
$$

• 일의 자리에서 받아올림이 있는 (두 자리 수)+(두 자리 수)

$$
\begin{array}{r} 2\ 7 \\ +\ 1\ 4 \\ \hline \end{array}
\ \Rightarrow\
\begin{array}{r} ^{1} \\ 2\ 7 \\ +\ 1\ 4 \\ \hline 1 \end{array}
\ \Rightarrow\
\begin{array}{r} ^{1} \\ 2\ 7 \\ +\ 1\ 4 \\ \hline 4\ 1 \end{array}
$$

• 십의 자리에서 받아올림이 있는 (두 자리 수)+(두 자리 수)

$$
\begin{array}{r} 5\ 2 \\ +\ 6\ 1 \\ \hline 3 \end{array}
\ \Rightarrow\
\begin{array}{r} ^{1} \\ 5\ 2 \\ +\ 6\ 1 \\ \hline 1\ 3 \end{array}
\ \Rightarrow\
\begin{array}{r} ^{1} \\ 5\ 2 \\ +\ 6\ 1 \\ \hline 1\ 1\ 3 \end{array}
$$

개념 ② 여러 가지 방법으로 덧셈하기

두 수를 더하는 방법은 여러 가지입니다. 어떤 방법을 생각하고 있나요?

• 28+15를 여러 가지 방법으로 계산하기

방법 1
$$
\begin{aligned}
28+15 &= 28+10+5 \\
&= 38+5 \\
&= 43
\end{aligned}
$$

방법 2
$$
\begin{aligned}
28+15 &= 28+2+13 \\
&= 30+13 \\
&= 43
\end{aligned}
$$

개념 O X

두 수의 덧셈을 바르게 계산한 곳에 ○표 하세요.

$$28+35=53$$

$$28+35=63$$

1 수 모형을 보고 26+7을 계산하려고 합니다. ☐ 안에 알맞은 수를 써넣으세요.

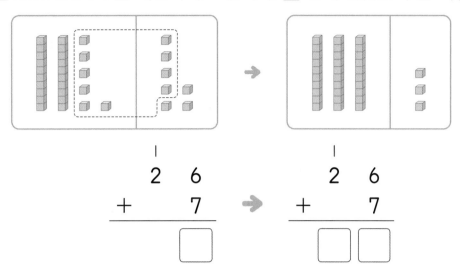

$$
\begin{array}{r}
2\ 6 \\
+\quad 7 \\
\hline
\square
\end{array}
\qquad
\begin{array}{r}
2\ 6 \\
+\quad 7 \\
\hline
\square\ \square
\end{array}
$$

2 수 모형을 보고 ☐ 안에 알맞은 수를 써넣으세요.

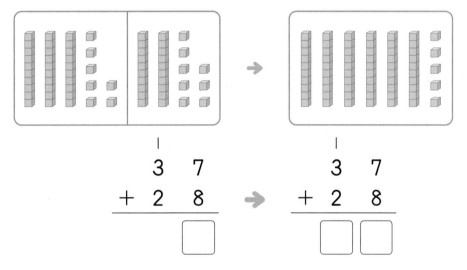

$$
\begin{array}{r}
3\ 7 \\
+\ 2\ 8 \\
\hline
\square
\end{array}
\qquad
\begin{array}{r}
3\ 7 \\
+\ 2\ 8 \\
\hline
\square\ \square
\end{array}
$$

3 ☐ 안에 알맞은 수를 써넣으세요.

받아올림에
주의하여
계산합니다.

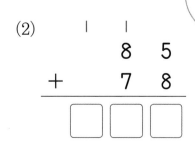

(1)
$$
\begin{array}{r}
6\ 3 \\
+\quad 7\ 5 \\
\hline
\square\ \square\ \square
\end{array}
$$

(2)
$$
\begin{array}{r}
8\ 5 \\
+\quad 7\ 8 \\
\hline
\square\ \square\ \square
\end{array}
$$

교과서 개념 잡기

개념 ③ 뺄셈하기

- 받아내림이 있는 (두 자리 수)−(한 자리 수)

$$
\begin{array}{r} 2\ 3 \\ -\ \ \ 7 \\ \hline \end{array}
\Rightarrow
\begin{array}{r} \overset{1}{2}\ \overset{10}{3} \\ -\ \ \ 7 \\ \hline \end{array}
\Rightarrow
\begin{array}{r} \overset{1}{2}\ \overset{10}{3} \\ -\ \ \ 7 \\ \hline 6 \end{array}
\Rightarrow
\begin{array}{r} \overset{1}{\cancel{2}}\ \overset{10}{3} \\ -\ \ \ 7 \\ \hline 1\ 6 \end{array}
$$

- 받아내림이 있는 (몇십)−(몇십몇)

$$
\begin{array}{r} 3\ 0 \\ -\ 1\ 6 \\ \hline \end{array}
\Rightarrow
\begin{array}{r} \overset{2}{3}\ \overset{10}{0} \\ -\ 1\ 6 \\ \hline \end{array}
\Rightarrow
\begin{array}{r} \overset{2}{3}\ \overset{10}{0} \\ -\ 1\ 6 \\ \hline 4 \end{array}
\Rightarrow
\begin{array}{r} \overset{2}{\cancel{3}}\ \overset{10}{0} \\ -\ 1\ 6 \\ \hline 1\ 4 \end{array}
$$

- 받아내림이 있는 (두 자리 수)−(두 자리 수)

$$
\begin{array}{r} 4\ 2 \\ -\ 2\ 5 \\ \hline \end{array}
\Rightarrow
\begin{array}{r} \overset{3}{4}\ \overset{10}{2} \\ -\ 2\ 5 \\ \hline \end{array}
\Rightarrow
\begin{array}{r} \overset{3}{4}\ \overset{10}{2} \\ -\ 2\ 5 \\ \hline 7 \end{array}
\Rightarrow
\begin{array}{r} \overset{3}{\cancel{4}}\ \overset{10}{2} \\ -\ 2\ 5 \\ \hline 1\ 7 \end{array}
$$

개념 ④ 여러 가지 방법으로 뺄셈하기

- 24−17을 여러 가지 방법으로 계산하기

> 두 수를 빼는 방법은 여러 가지입니다. 어떤 방법을 생각하고 있나요?

방법 1
$$24-17=24-10-7$$
$$=14-7$$
$$=7$$

방법 2
$$24-17=20-17+4$$
$$=3+4$$
$$=7$$

🎮 개념 OX

🎓 두 수의 뺄셈을 바르게 계산한 곳에 ◯표 하세요.

$$31-6=25$$

$$31-6=15$$

1 수 모형을 보고 34-8을 계산하려고 합니다. □ 안에 알맞은 수를 써넣으세요.

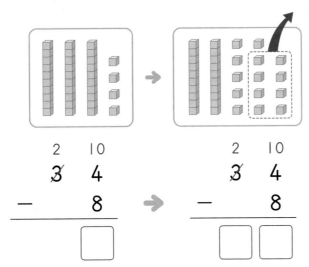

2 수 모형을 보고 □ 안에 알맞은 수를 써넣으세요.

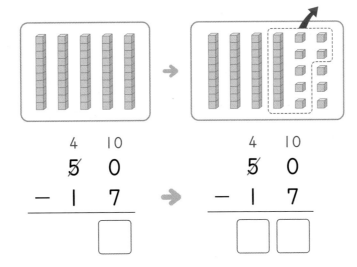

3 □ 안에 알맞은 수를 써넣으세요.

(1)
```
    3  10
    4  1
 -  1  4
 ┌──┬──┐
 └──┴──┘
```

(2)
```
    7  10
    8  2
 -  4  7
 ┌──┬──┐
 └──┴──┘
```

받아내림에
주의하여
계산합니다.

준비물 붙임딱지

계산 결과에 맞는 붙임딱지를 붙여서 찢어진 책을 완성해 보세요.

초등

$17+6$

23

$23-6$

$36+27$

$76-29$

$80-43$

$15+39$

$26+17$

$82-35$

집중! 드릴 문제

[1~5] 덧셈을 해 보세요.

1
(1)
```
   2 6
+    5
```
(2)
```
     8
+  5 3
```

2
(1)
```
   3 7
+    6
```
(2)
```
     7
+  7 4
```

3
(1)
```
   4 8
+  2 4
```
(2)
```
   1 9
+  6 2
```

4
(1)
```
   3 7
+  4 3
```
(2)
```
   5 2
+  1 8
```

5
(1)
```
   3 9
+  4 6
```
(2)
```
   2 8
+  6 7
```

[6~10] 덧셈을 해 보세요.

6
(1)
```
   4 3
+  8 9
```
(2)
```
   6 7
+  7 5
```

7
(1)
```
   6 4
+  9 6
```
(2)
```
   5 8
+  8 3
```

8
(1)
```
   7 9
+  5 5
```
(2)
```
   8 6
+  6 7
```

9
(1)
```
   7 8
+  8 7
```
(2)
```
   8 7
+  8 9
```

10
(1)
```
   8 9
+  9 8
```
(2)
```
   9 9
+  9 9
```

[11~15] 뺄셈을 해 보세요.

11 (1)
$$\begin{array}{r} 4\ 1 \\ -\ \ 6 \\ \hline \end{array}$$
(2)
$$\begin{array}{r} 6\ 5 \\ -\ \ 7 \\ \hline \end{array}$$

12 (1)
$$\begin{array}{r} 5\ 3 \\ -\ \ 8 \\ \hline \end{array}$$
(2)
$$\begin{array}{r} 8\ 7 \\ -\ \ 9 \\ \hline \end{array}$$

13 (1)
$$\begin{array}{r} 4\ 0 \\ -\ 1\ 3 \\ \hline \end{array}$$
(2)
$$\begin{array}{r} 5\ 0 \\ -\ 2\ 1 \\ \hline \end{array}$$

14 (1)
$$\begin{array}{r} 7\ 0 \\ -\ 3\ 6 \\ \hline \end{array}$$
(2)
$$\begin{array}{r} 9\ 0 \\ -\ 4\ 7 \\ \hline \end{array}$$

15 (1)
$$\begin{array}{r} 6\ 0 \\ -\ 2\ 9 \\ \hline \end{array}$$
(2)
$$\begin{array}{r} 8\ 0 \\ -\ 1\ 8 \\ \hline \end{array}$$

[16~20] 뺄셈을 해 보세요.

16 (1)
$$\begin{array}{r} 5\ 3 \\ -\ 1\ 5 \\ \hline \end{array}$$
(2)
$$\begin{array}{r} 6\ 2 \\ -\ 2\ 7 \\ \hline \end{array}$$

17 (1)
$$\begin{array}{r} 7\ 5 \\ -\ 3\ 8 \\ \hline \end{array}$$
(2)
$$\begin{array}{r} 8\ 4 \\ -\ 4\ 6 \\ \hline \end{array}$$

18 (1)
$$\begin{array}{r} 9\ 1 \\ -\ 5\ 9 \\ \hline \end{array}$$
(2)
$$\begin{array}{r} 8\ 6 \\ -\ 4\ 8 \\ \hline \end{array}$$

19 (1)
$$\begin{array}{r} 8\ 7 \\ -\ 6\ 8 \\ \hline \end{array}$$
(2)
$$\begin{array}{r} 9\ 4 \\ -\ 1\ 9 \\ \hline \end{array}$$

20 (1)
$$\begin{array}{r} 6\ 3 \\ -\ 3\ 7 \\ \hline \end{array}$$
(2)
$$\begin{array}{r} 9\ 5 \\ -\ 5\ 8 \\ \hline \end{array}$$

3
단원

1 수 모형을 보고 ☐ 안에 알맞은 수를 써넣으세요.

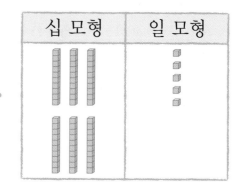

$$37+28=\boxed{}$$

2 덧셈을 해 보세요.

(1)
$$\begin{array}{r} 6\ 2 \\ +\quad 8 \\ \hline \end{array}$$

(2)
$$\begin{array}{r} 3\ 5 \\ +\quad 6 \\ \hline \end{array}$$

(3) $29+2$

(4) $83+9$

3 두 수의 합을 빈 곳에 써넣으세요.

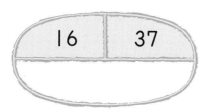

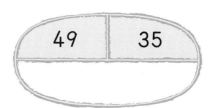

4 □ 안에 알맞은 수를 써넣으세요.

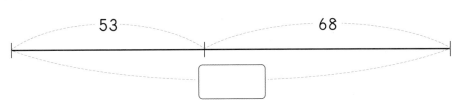

5 계산 결과를 비교하여 ○ 안에 >, =, <를 알맞게 써넣으세요.

$$58+7 \bigcirc 55+9$$

6 26+37을 두 가지 방법으로 계산하려고 합니다. □ 안에 알맞은 수를 써넣으세요.

방법 1 37을 4+33으로 생각하기

$$26+37 \Rightarrow 26+\boxed{}+33=\boxed{}+33=\boxed{}$$

$$\boxed{} \quad 33$$

방법 2 37을 40−3으로 생각하기

$$37=40-\boxed{} \Rightarrow 26+40-\boxed{}=\boxed{}-\boxed{}=\boxed{}$$

7 가은이는 윗몸 일으키기를 하였습니다. 어제는 36번 했고 오늘은 54번 했다면 가은이가 어제와 오늘 한 윗몸 일으키기는 모두 몇 번일까요?

(   )

8 뺄셈을 해 보세요.

(1)
```
    3 1
  −   8
─────────
```

(2)
```
    7 0
  −   4
─────────
```

(3) 52−8

(4) 25−6

9 계산이 <u>잘못된</u> 부분을 찾아 바르게 다시 계산해 보세요.

```
    6 3
  − 1 7
─────────
    5 6
```
→

10 62−25를 두 가지 방법으로 계산하려고 합니다. □ 안에 알맞은 수를 써넣으세요.

방법1 25를 22+3으로 생각하기

$62-25=62-22-\boxed{}$

$=\boxed{}-\boxed{}$

$=\boxed{}$

방법2 25를 30−5로 생각하기

$62-25=62-30+\boxed{}$

$=\boxed{}+\boxed{}$

$=\boxed{}$

11 아래의 두 수를 더해서 위의 빈칸에 써넣으세요.

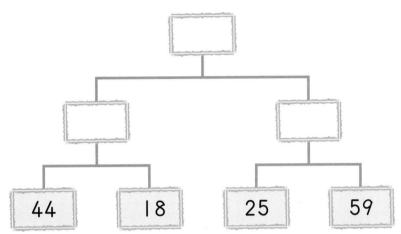

12 빈칸에 알맞은 수를 써넣으세요.

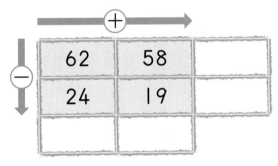

13 공원에 비둘기가 50마리 있었습니다. 잠시 후 17마리가 날아갔습니다. 공원에 남아 있는 비둘기는 몇 마리인지 식을 쓰고 답을 구해 보세요.

식 _____

답 _____

개념 **5** 덧셈과 뺄셈의 관계를 식으로 나타내기

• 덧셈식을 뺄셈식으로 나타내기

→ 동물이 어디로 움직이는지 확인하세요.

• 뺄셈식을 덧셈식으로 나타내기

→ 과일이 어디로 움직이는지 확인하세요.

개념 **6** ▢의 값 구하기

초콜릿 15개 중 몇 개를 먹었더니 8개가 남았습니다. 먹은 초콜릿은 몇 개일까요?

방법 1 그림으로 그려 보기

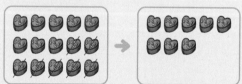

/로 지운 초콜릿은 7개입니다.

방법 2 덧셈과 뺄셈의 관계 이용

먹은 초콜릿의 수를 ▢를 사용하여 뺄셈식으로 나타내면

$15 - ▢ = 8$ ➡ $▢ + 8 = 15$

➡ $15 - 8 = ▢$, $▢ = 7$

🎮 개념 **O X**

🎓 덧셈식 $27 + 6 = 33$을 뺄셈식으로 바르게 나타낸 곳에 ○표 하세요.

$33 - 27 = 6$

$27 - 6 = 21$

1 그림을 보고 덧셈식을 완성한 뒤 뺄셈식으로 나타내어 보세요.

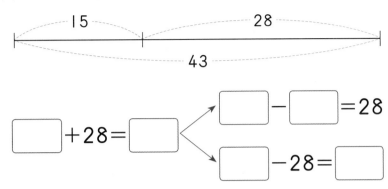

2 그림을 보고 뺄셈식을 완성한 뒤 덧셈식으로 나타내어 보세요.

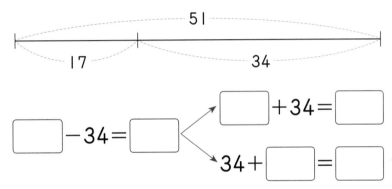

3 도넛 24개 중 몇 개를 먹었더니 15개가 남았습니다. 먹은 도넛은 몇 개일까요?

⑴ 남은 도넛이 15개가 되도록 왼쪽 그림에서 도넛을 /로 지워 보세요.

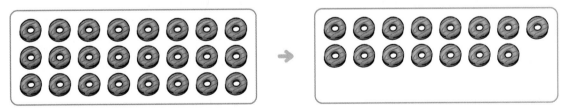

⑵ 먹은 도넛 수를 ■를 사용하여 뺄셈식으로 나타내어 보세요.

식 _____ □ − ■ = □

⑶ 먹은 도넛은 몇 개일까요?

(   )

개념 **7** 세 수의 계산 알아보기

• 더하고 빼기

$$27+25-38=\boxed{14}$$

❶
$$\boxed{52}$$

❷
$$\boxed{14}$$

$$\begin{array}{r} 2\ 7 \\ +\ 2\ 5 \\ \hline ❶\ \boxed{5\ 2} \end{array} \rightarrow \boxed{5\ 2}$$

$$\begin{array}{r} 5\ 2 \\ -\ 3\ 8 \\ \hline ❷\ \boxed{1\ 4} \end{array}$$

❶ 앞의 두 수를 더한 뒤
❷ 마지막 수를 뺍니다.

• 빼고 더하기

$$41-24+17=\boxed{34}$$

❶
$$\boxed{17}$$

❷
$$\boxed{34}$$

$$\begin{array}{r} 4\ 1 \\ -\ 2\ 4 \\ \hline ❶\ \boxed{1\ 7} \end{array} \rightarrow \boxed{1\ 7}$$

$$\begin{array}{r} 1\ 7 \\ +\ 1\ 7 \\ \hline ❷\ \boxed{3\ 4} \end{array}$$

❶ 앞의 두 수를 뺀 뒤
❷ 마지막 수를 더합니다.

> 세 수의 덧셈과 뺄셈이 같이 있는 식은 앞에서부터 차례로 계산합니다.

개념 O X

🎓 13+9-15를 바르게 계산한 곳에 ○표 하세요.

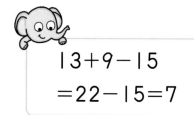

13+9-15
=22-15=7

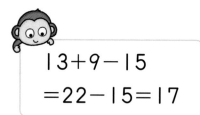

13+9-15
=22-15=17

1 □ 안에 알맞은 수를 써넣으세요.

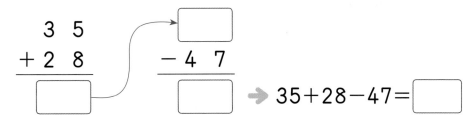

→ 35+28−47= ☐

2 □ 안에 알맞은 수를 써넣으세요.

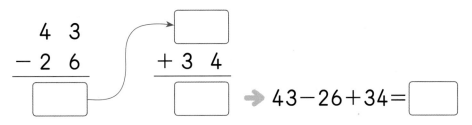

→ 43−26+34= ☐

3 □ 안에 알맞은 수를 써넣으세요.

(1) 35+47+28= ☐

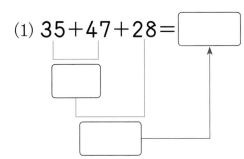

(2) 71−39−15= ☐

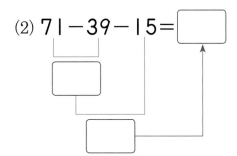

4 빈 곳에 알맞은 수를 써넣으세요.

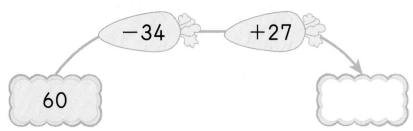

꿀단지 안의 세 수를 모두 사용하여 덧셈식 또는 뺄셈식을 만들려고 합니다. 꿀단지 안에 알맞은 수 붙임딱지를 붙이고 ☐ 안에 알맞은 수를 써넣으세요.

$$81 - \boxed{} = 28$$

$$\boxed{} + \boxed{} = \boxed{}$$

$$\boxed{} + \boxed{} = \boxed{}$$

$$34 + \boxed{} = 50$$

$$\boxed{} - \boxed{} = \boxed{}$$

$$\boxed{} - \boxed{} = \boxed{}$$

$$43 - \boxed{} = 16$$

$$\boxed{} + \boxed{} = \boxed{}$$

$$\boxed{} + \boxed{} = \boxed{}$$

45

19

$\boxed{}+19=45$

$\boxed{}-\boxed{}=\boxed{}$

$\boxed{}-\boxed{}=\boxed{}$

81

35

$81-\boxed{}=35$

$\boxed{}+\boxed{}=\boxed{}$

$\boxed{}+\boxed{}=\boxed{}$

9

54

$9+\boxed{}=54$

$\boxed{}-\boxed{}=\boxed{}$

$\boxed{}-\boxed{}=\boxed{}$

38   25

$\boxed{}-38=25$

$\boxed{}+\boxed{}=\boxed{}$

$\boxed{}+\boxed{}=\boxed{}$

3

단원

집중! 드릴 문제

[1~4] 덧셈식을 보고 뺄셈식으로 나타 내어 보세요.

1
$$17+6=23$$

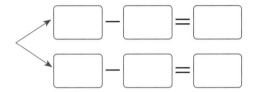

$$\boxed{}-\boxed{}=\boxed{}$$

$$\boxed{}-\boxed{}=\boxed{}$$

2
$$9+25=34$$

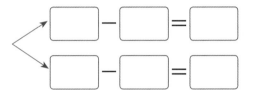

$$\boxed{}-\boxed{}=\boxed{}$$

$$\boxed{}-\boxed{}=\boxed{}$$

3
$$24+27=51$$

$$\boxed{}-\boxed{}=\boxed{}$$

$$\boxed{}-\boxed{}=\boxed{}$$

4
$$38+45=83$$

$$\boxed{}-\boxed{}=\boxed{}$$

$$\boxed{}-\boxed{}=\boxed{}$$

[5~8] 뺄셈식을 보고 덧셈식으로 나타 내어 보세요.

5
$$16-9=7$$

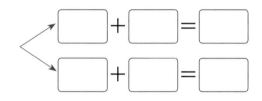

$$\boxed{}+\boxed{}=\boxed{}$$

$$\boxed{}+\boxed{}=\boxed{}$$

6
$$30-8=22$$

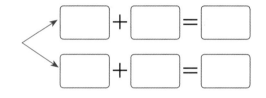

$$\boxed{}+\boxed{}=\boxed{}$$

$$\boxed{}+\boxed{}=\boxed{}$$

7
$$50-16=34$$

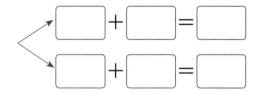

$$\boxed{}+\boxed{}=\boxed{}$$

$$\boxed{}+\boxed{}=\boxed{}$$

8
$$61-28=33$$

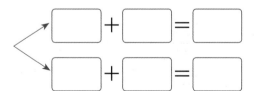

$$\boxed{}+\boxed{}=\boxed{}$$

$$\boxed{}+\boxed{}=\boxed{}$$

[9~12] 그림을 보고 ■를 사용하여 알맞은 식을 완성해 보세요.

9
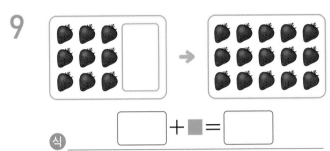

식 ☐ + ■ = ☐

_____

10
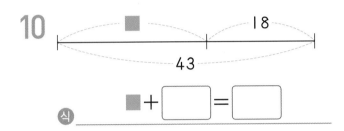

식 ■ + ☐ = ☐

_____

11
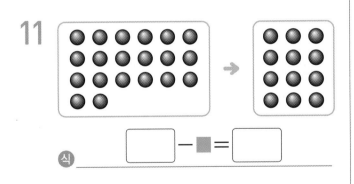

식 ☐ − ■ = ☐

_____

12
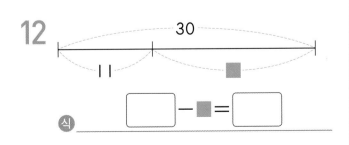

식 ☐ − ■ = ☐

_____

[13~16] 세 수의 계산을 해 보세요.

13

```
  2 4          ┌──────┐
+ 3 7    ──→   └──────┘
┌──────┐       − 1 9
└──────┘       ┌──────┐
               └──────┘
```

14

```
  5 2          ┌──────┐
− 2 7    ──→   └──────┘
┌──────┐       + 3 8
└──────┘       ┌──────┐
               └──────┘
```

15 45 + 36 − 58 = ☐

16 73 − 47 + 29 = ☐

1 계산 순서를 바르게 나타낸 것에 ○표 하세요.

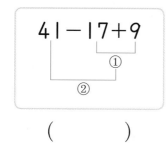

(   )

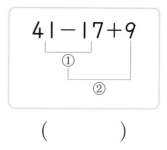

(   )

2 □ 안에 알맞은 수를 써넣으세요.

$25+19+16=$ ☐

☐

☐

$$\begin{array}{r} 2\ 5 \\ +1\ 9 \\ \hline \end{array}$$ → ☐

$$\begin{array}{r} +1\ 6 \\ \hline \end{array}$$ ☐

3 덧셈식을 뺄셈식으로 나타내어 보세요.

(1) $39+18=57$

☐ − ☐ = ☐

☐ − ☐ = ☐

(2) $15+56=71$

☐ − ☐ = ☐

☐ − ☐ = ☐

4 ☐ 안에 알맞은 수를 써넣으세요.

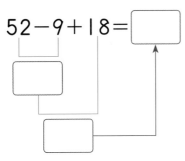

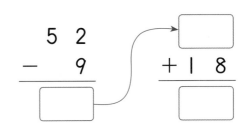

5 ☐ 안에 알맞은 수를 써넣으세요.

$$82 - \boxed{} = 53 \Rightarrow 53 + 29 = \boxed{}$$

6 세 수를 이용하여 뺄셈식을 완성하고, 덧셈식으로 나타내어 보세요.

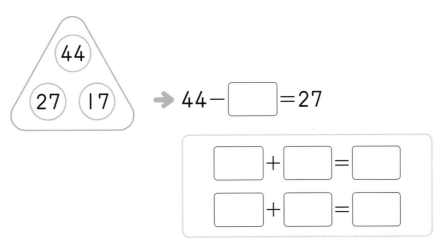

7 □를 사용하여 알맞은 뺄셈식을 써 보세요.

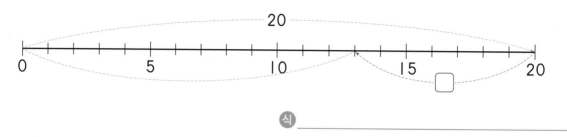

식 _____

8 계산해 보세요.

(1) $28 + 37 - 49 =$ ☐

(2) $50 - 24 + 16 =$ ☐

9 빈칸에 알맞은 수만큼 ○를 그리고 ☐ 안에 알맞은 수를 써넣으세요.

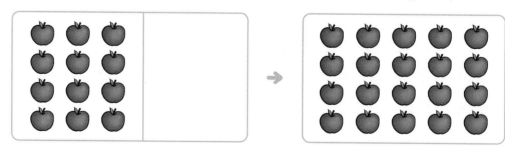

$12 +$ ☐ $= 20$

10 가장 큰 수와 가장 작은 수의 합에서 나머지 수를 뺀 값을 구해 보세요.

(1)　　62　　28　　43

(　　　　　　　　)

(2)　　36　　28　　57

(　　　　　　　　)

11 □ 안에 알맞은 수를 써넣으세요.

(1) 55+□=73

(2) □−48=33

(3) 17+34+□=70

12 빨간 구슬이 37개, 파란 구슬이 25개 있습니다. 노란 구슬이 빨간 구슬과 파란 구슬을 더한 수보다 9개 적을 때 노란 구슬은 몇 개인지 하나의 식을 쓰고 답을 구해 보세요.

식 _____

답 _____

1 덧셈을 해 보세요.

(1) $\begin{array}{r} 3\ 7 \\ +\quad 8 \\ \hline \end{array}$

(2) $\begin{array}{r} 2\ 6 \\ +\ 3\ 9 \\ \hline \end{array}$

(3) $\begin{array}{r} 8\ 7 \\ +\ 7\ 4 \\ \hline \end{array}$

2 뺄셈을 해 보세요.

(1) $\begin{array}{r} 3\ 3 \\ -\quad 7 \\ \hline \end{array}$

(2) $\begin{array}{r} 6\ 0 \\ -\ 1\ 6 \\ \hline \end{array}$

(3) $\begin{array}{r} 8\ 2 \\ -\ 4\ 7 \\ \hline \end{array}$

3 계산을 하여 빈 곳에 알맞은 수를 써넣으세요.

(1)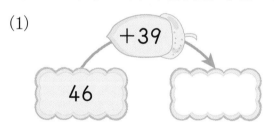

(2)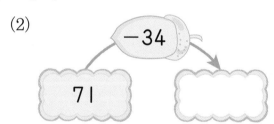

4 ☐ 안에 알맞은 수를 써넣으세요.

(1) $16+34-28=$ ☐

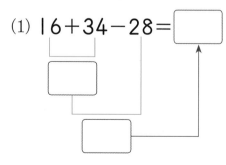

(2) $52-38+27=$ ☐

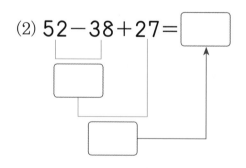

5 덧셈식은 뺄셈식으로, 뺄셈식은 덧셈식으로 나타내어 보세요.

(1) $28+15=43$

$$\boxed{}-\boxed{}=\boxed{}$$

$$\boxed{}-\boxed{}=\boxed{}$$

(2) $83-37=46$

$$\boxed{}+\boxed{}=\boxed{}$$

$$\boxed{}+\boxed{}=\boxed{}$$

6 두 수의 차를 빈 곳에 바르게 쓴 양을 찾아 기호를 써 보세요.

㉠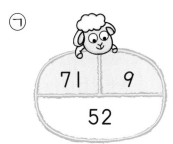
71 9
52

㉡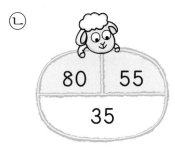
80 55
35

㉢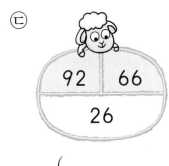
92 66
26

(   )

7 도넛이 21개 있습니다. 가은이와 동생이 몇 개를 먹었더니 14개가 남았습니다. ☐ 안에 알맞은 수를 써넣으세요.

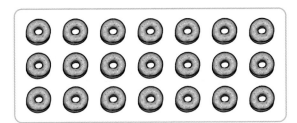 →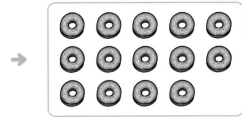

식 $21-\boxed{}=14$

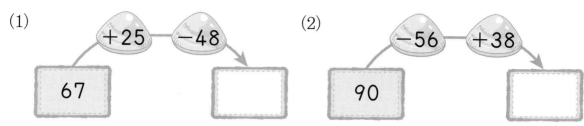
8 계산을 하여 빈칸에 알맞은 수를 써넣으세요.

(1)

$+25$ -48

$\boxed{67}$ $\boxed{}$

(2)

-56 $+38$

$\boxed{90}$ $\boxed{}$

9 보기와 같은 방법으로 계산하려고 합니다. ☐ 안에 알맞은 수를 써넣으세요.

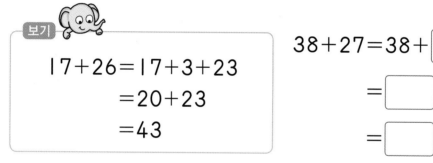

보기

$$17+26=17+3+23$$
$$=20+23$$
$$=43$$

$$38+27=38+\boxed{}+25$$
$$=\boxed{}+25$$
$$=\boxed{}$$

10 보기와 같은 방법으로 계산하려고 합니다. ☐ 안에 알맞은 수를 써넣으세요.

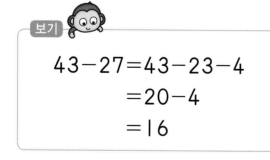

보기

$$43-27=43-23-4$$
$$=20-4$$
$$=16$$

$$51-36=51-\boxed{}-5$$
$$=\boxed{}-5$$
$$=\boxed{}$$

4 길이 재기

교과서 개념 잡기

개념 1 여러 가지 단위로 길이 재어 보기

• 길이를 잴 때 사용할 수 있는 단위

| 뼘 | 클립 | 연필 | 리코더 |

참고 여러 가지 단위 중에서 짧은 물건은 짧은 단위를 사용하고, 긴 물건은 긴 단위를 사용하여 재는 것이 편리합니다.

예 뼘으로 막대의 길이 재기

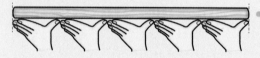 ➡ 막대의 길이는 뼘으로 5번이므로 5뼘입니다.

개념 2 1 cm 알아보기

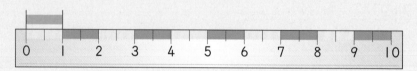

▬▬의 길이를 **1 cm** 라 쓰고 1 센티미터라고 읽습니다.

예 1 cm가 3번이면 3 cm라 쓰고 3 센티미터라고 읽습니다.

개념 OX

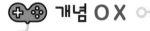 2 cm를 바르게 쓴 것에 ○표 하세요.

1 책상의 긴 쪽의 길이를 재는 데 더 알맞은 단위에 ○표 하세요.

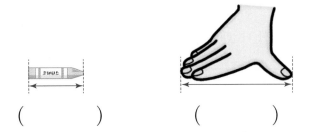

(   )   (   )

2 5 cm를 바르게 쓰고 읽어 보세요.

(   )

3 □ 안에 알맞은 수를 써넣으세요.

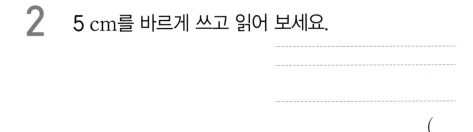

우산의 길이는 볼펜으로 □번입니다.

4 주어진 길이만큼 색칠해 보세요.

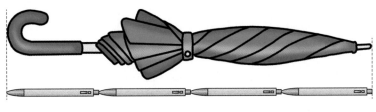

1 cm

3 cm

개념 ③ 자로 길이 재어 보기(1)

• 눈금 0에 맞추어 길이 재어 보기

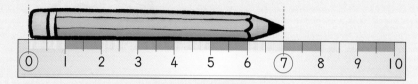

① 연필의 한쪽 끝을 자의 눈금 0에 맞춥니다.

② 연필의 다른 쪽 끝에 있는 자의 눈금을 읽습니다.

➡ 연필의 길이는 7 cm입니다.

• 눈금 0이 아닌 한 눈금에 맞추어 길이 재어 보기

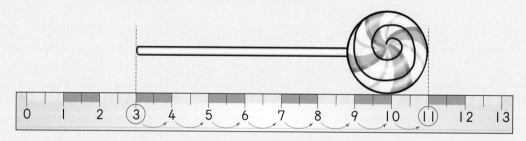

① 막대사탕의 한쪽 끝을 자의 한 눈금에 맞춥니다.

② 그 눈금에서 다른 쪽 끝까지 1 cm가 몇 번
들어가는지 셉니다.

➡ 막대사탕의 길이는 8 cm입니다.

한쪽 끝이 ● cm,
다른 쪽 끝이 ▲ cm이면
길이는 (▲ − ●) cm예요.

개념 O X

🎓 물감의 길이를 자로 바르게 잰 것에 ○표 하세요.

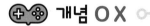

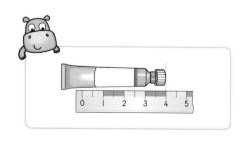

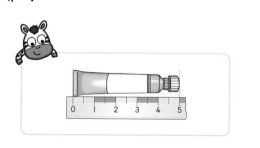

1 그림을 보고 알맞은 길이에 ○표 하세요.

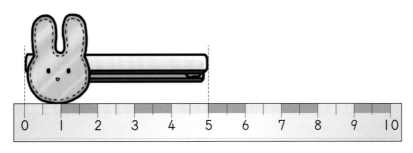

머리핀의 길이는 (5 cm , 6 cm)입니다.

2 지우개의 긴 쪽의 길이는 몇 cm인지 자로 재어 보세요.

(   )

3 그림을 보고 맞으면 ○표, 틀리면 ×표 하세요.

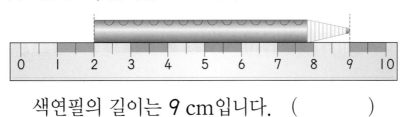

색연필의 길이는 **9** cm입니다.   (   )

4 □ 안에 알맞은 수를 써넣으세요.

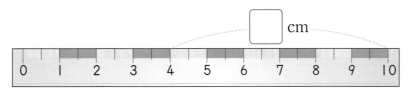

몇 번인지 알아보기

준비물 ⟨ 붙임딱지

주어진 물건의 길이는 클립과 면봉으로 각각 몇 번인지 클립과 면봉 붙임딱지를 각각 붙여 구해 보세요.

클립: ☐ 번
면봉: ☐ 번

클립: ☐ 번
면봉: ☐ 번

클립: ☐ 번
면봉: ☐ 번

클립: ☐ 번
면봉: ☐ 번

빵을 잘라서 상자에 넣으려고 합니다. 어떤 상자가 몇 개 필요한지 상자 붙임딱지를 붙여 구해 보세요.

가 ☐상자 ☐개

나 ☐상자 ☐개

다 ☐상자 ☐개

라 ☐상자 ☐개

㉠

㉡

㉢

4

단원

집중! 드릴 문제

[1~4] 주어진 물건의 길이를 여러 가지 단위로 재어 보세요.

[5~10] 바르게 써 보세요.

1
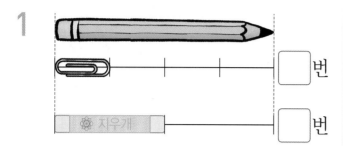

☐ 번

☐ 번

2
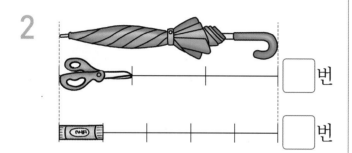

☐ 번

☐ 번

3
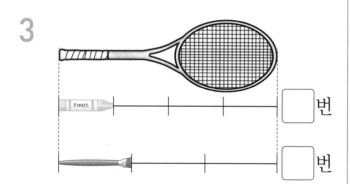

☐ 번

☐ 번

4
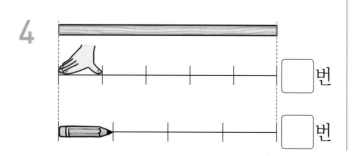

☐ 번

☐ 번

5 1 cm

6 5 cm

7 3 cm

8 4 cm

9 10 cm

10 7 cm

[11~15] 주어진 길이는 몇 cm인지 쓰고 읽어 보세요.

11

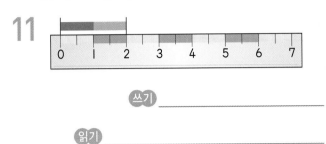

쓰기 _____

읽기 _____

12

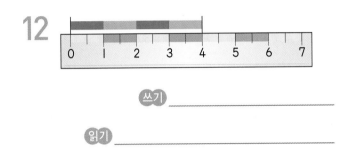

쓰기 _____

읽기 _____

13

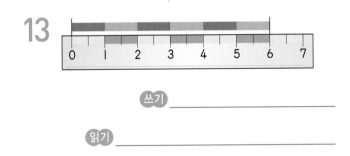

쓰기 _____

읽기 _____

14

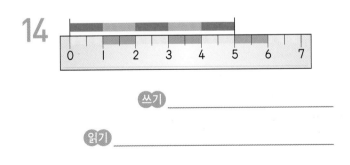

쓰기 _____

읽기 _____

15

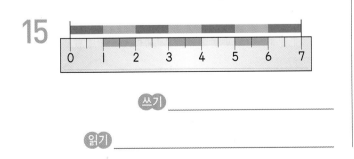

쓰기 _____

읽기 _____

[16~20] 물건의 길이는 몇 cm인지 써 보세요.

16

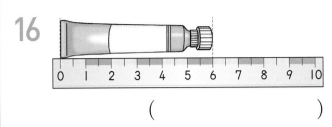

(   )

17

(   )

18

(   )

19

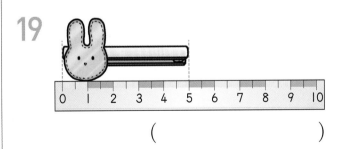

(   )

20

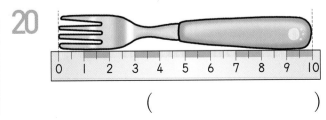

(   )

4
단원

1 ☐ 안에 알맞은 수를 써넣으세요.

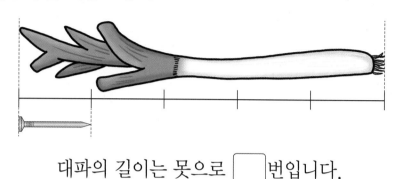

대파의 길이는 못으로 ☐번입니다.

2 자를 보고 물음에 답하세요.

(1) 알맞은 말에 ○표 하세요.

자에 있는 큰 눈금 한 칸 사이의 길이는 (같습니다 , 다릅니다).

(2) ☐ 안에 알맞은 수나 말을 써넣으세요.

⊢━━┤의 길이를 ☐cm라 쓰고 [ ]라고 읽습니다.

3 길이를 잴 때 사용되는 단위 중에 가장 긴 것에 ○표, 가장 짧은 것에 △표 하세요.

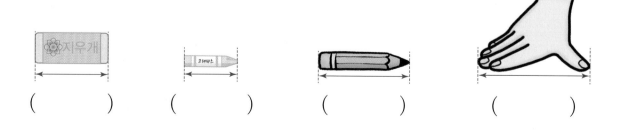

(   )   (   )   (   )   (   )

4 정우와 가은이가 각자의 뼘으로 책상의 긴 쪽의 길이를 재었습니다. 한 뼘의 길이가 더 긴 사람은 누구일까요?

정우의 뼘	가은이의 뼘
9번	10번

(   )

5 ■와 ●에 알맞은 수를 각각 구해 보세요.

> • 1 cm가 7번이면 ■ cm입니다.
> • 5 cm는 1 cm가 ●번입니다.

■ (   )

● (   )

6 영진, 채민, 승기는 모형으로 모양 만들기를 하였습니다. 가장 길게 연결한 사람은 누구일까요?

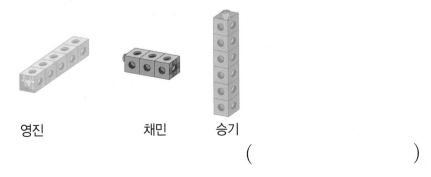

영진   채민   승기

(   )

7 □ 안에 알맞은 수를 써넣고, 주어진 길이를 쓰고 읽어 보세요.

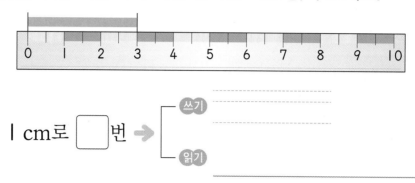

ㅣcm로 □ 번 → ┌ 쓰기 ....
....
└ 읽기
....

8 색연필의 길이를 자로 재어 보니 8 cm였습니다. 색연필의 길이는 ㅣcm로 몇 번일까요?

( )

9 자를 이용하여 연필의 길이를 바르게 잰 것을 찾아 기호를 써 보세요.

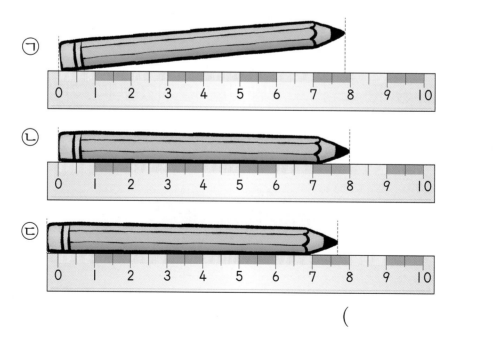

( )

10 ☐ 안에 알맞은 수를 써넣으세요.

(1)

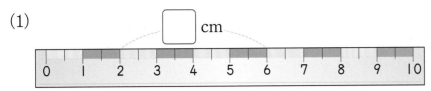

(2)

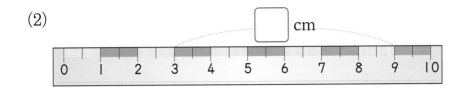

11 주어진 길이만큼 점선을 따라 선을 그어 보세요.

(1) **3 cm**

(2) **5 cm**

12 길이가 4 cm인 사탕의 기호를 써 보세요.

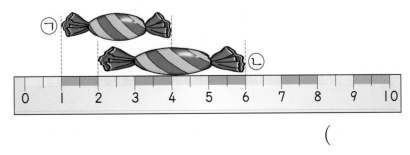

(   )

교과서 **개념** 잡기

개념 **4** 자로 길이 재어 보기(2)

• 색연필의 길이를 약 몇 cm로 나타내기 ←— 0부터 길이를 잰 경우

길이가 자의 눈금 사이에 있을 때는 가까이에 있는 쪽의 숫자를 읽으며, 숫자 앞에 약을 붙여 말합니다.

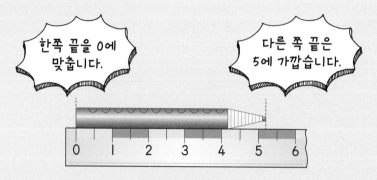

➜ 색연필의 길이는 **5** cm에 가깝기 때문에 약 **5** cm입니다.

• 연필의 길이를 약 몇 cm로 나타내기 ←— 0부터 길이를 재지 않은 경우

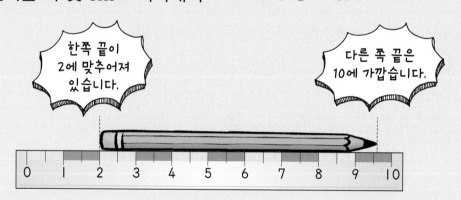

➜ 연필의 한쪽 끝이 **10** cm에 가깝지만 **2** cm부터 재었기 때문에 연필의 길이는 약 **8** cm입니다.

🎮 개념 **O X**

🎓 길이가 약 **3** cm인 색 테이프에 ◯표 하세요.

1 나무 막대의 길이를 재어 보려고 합니다. 물음에 답하세요.

(1) 나무 막대의 오른쪽 끝이 몇 cm 눈금에 가까울까요?

(   )

(2) 나무 막대의 길이는 약 몇 cm일까요?

약 (   )

2 나뭇잎의 길이를 재어 보려고 합니다. 물음에 답하세요.

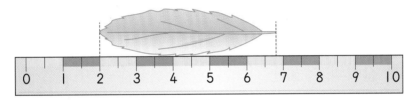

(1) 나뭇잎의 길이는 1 cm가 몇 번인 길이에 가까울까요?

(   )

(2) 나뭇잎의 길이는 약 몇 cm일까요?

약 (   )

3 물감의 길이는 약 몇 cm일까요?

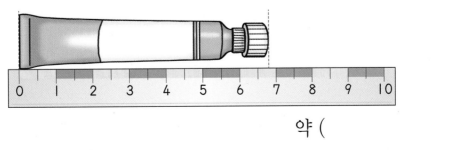

약 (   )

개념 5 길이 어림하기

• 물건의 길이를 어림하기

어림한 길이를 말할 때는 숫자 앞에 약을 붙여서 말합니다.

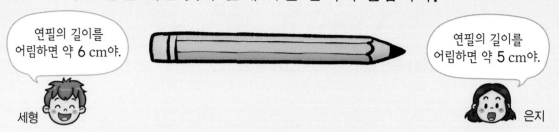

연필의 길이를 어림하면 약 6 cm야. 세형

연필의 길이를 어림하면 약 5 cm야. 은지

	연필을 어림한 길이	연필의 실제 길이	길이의 차
세형	약 6 cm	7 cm	7−6=1 (cm)
은지	약 5 cm		7−5=2 (cm)

➡ 연필의 실제 길이와 어림한 길이의 차가 더 작은 세형이가 더 가깝게 어림했습니다.

➡ 실제 길이와 어림한 길이의 차가 작을수록 어림을 잘한 것입니다.

• 주어진 길이를 어림하여 선 긋기

1 cm	├──────────────────
3 cm	├────────────
6 cm	├──────────────

어림하여 그은 것과 자로 재어 선을 그은 것이 같지 않더라도 틀린 것은 아닙니다.

→ 6 cm를 어림하여 긋고 자로 재어 보니 6 cm이므로 맞게 어림한 것입니다.

개념 O X

🎓 색 테이프의 길이가 약 5 cm인 것에 ○표 하세요.

1 가 색 테이프의 길이는 1 cm입니다. 나 색 테이프의 길이는 약 몇 cm인지 어림해 보세요.

가

나

약 (   )

2 막대 과자의 길이는 약 몇 cm인지 어림하고 자로 재어 확인해 보세요.

어림한 길이: 약 (   )

자로 잰 길이: (   )

3 은지와 현우가 막대의 길이를 어림한 후 실제 길이와 어림한 길이의 차를 구한 것입니다. 실제 길이에 더 가깝게 어림한 사람은 누구일까요?

	은지	현우
실제 길이와 어림한 길이의 차	3 cm	2 cm

(   )

4 주어진 길이를 어림하여 점선을 따라 선을 그어 보세요.

(1) 2 cm |--------------------------------

(2) 5 cm |--------------------------------

준비물 ◀ 교구재

수학 시간에 여러 가지 도형의 변의 길이를 재고 있습니다. 교구재를 이용하여 도형의 각 변의 길이를 재어 보세요.

준비물 붙임딱지

물건의 길이를 어림해 보고 교구재를 이용하여 길이를 재어 본 후 같은 길이를 나타내는 붙임딱지를 붙여 보세요.

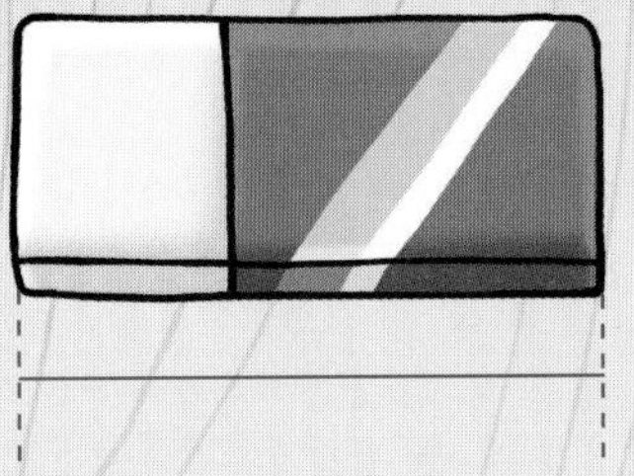

붙임딱지

어림한 길이	약 □ cm
자로 잰 길이	□ cm

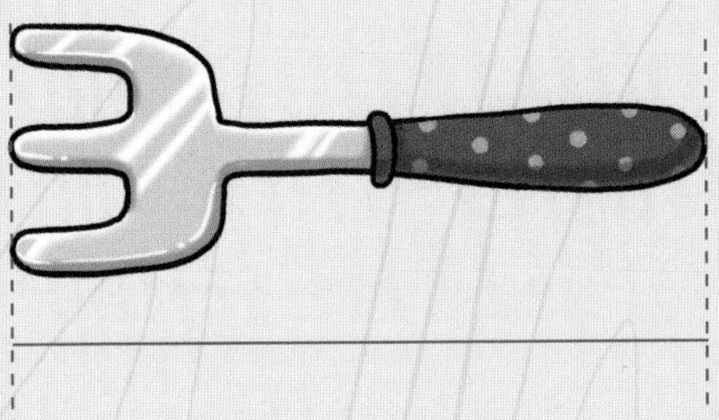

붙임딱지

어림한 길이	약 □ cm
자로 잰 길이	□ cm

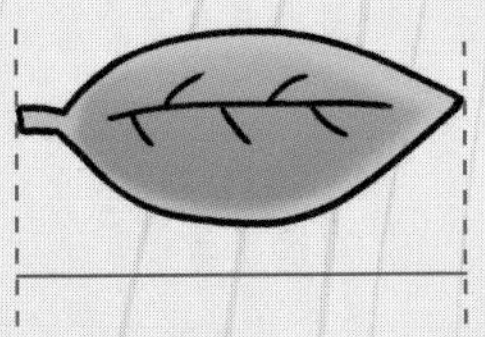

붙임딱지

어림한 길이	약 □ cm
자로 잰 길이	□ cm

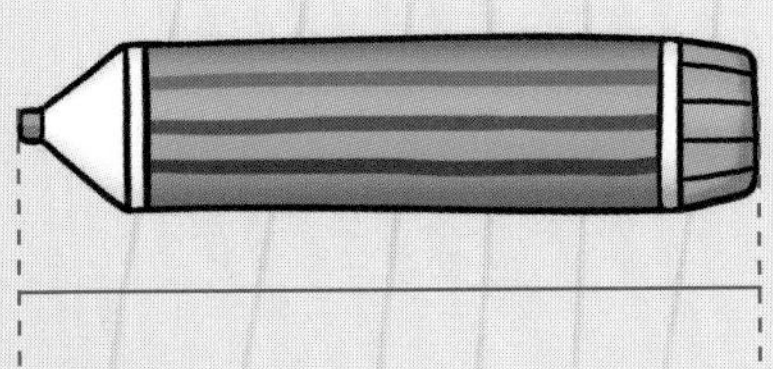

붙임딱지

어림한 길이	약 □ cm
자로 잰 길이	□ cm

4 단원

집중! 드릴 문제

[1~10] 물건의 길이는 약 몇 cm인지
□ 안에 알맞은 수를 써넣으세요.

1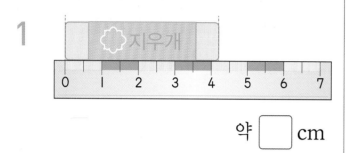

약 ☐ cm

2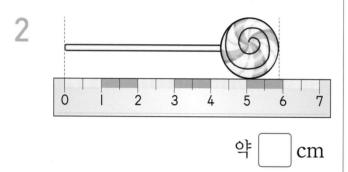

약 ☐ cm

3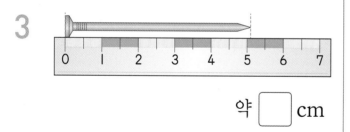

약 ☐ cm

4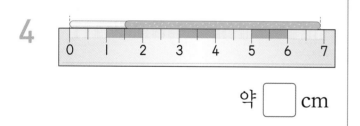

약 ☐ cm

5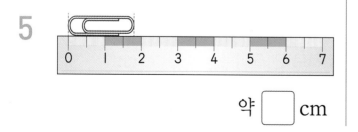

약 ☐ cm

6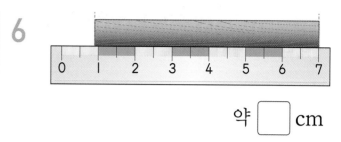

약 ☐ cm

7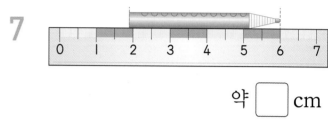

약 ☐ cm

8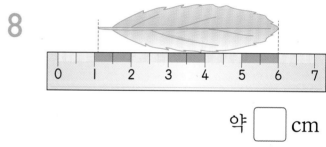

약 ☐ cm

9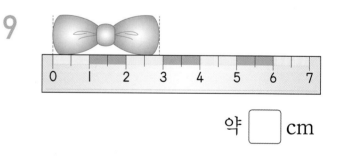

약 ☐ cm

10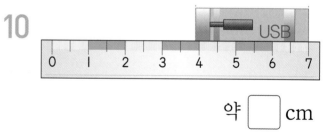

약 ☐ cm

[11~15] 물건의 길이를 어림하고 자로 재어 확인해 보세요.

11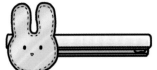

어림한 길이: 약 ☐ cm

자로 잰 길이: ☐ cm

12

어림한 길이: 약 ☐ cm

자로 잰 길이: ☐ cm

13

어림한 길이: 약 ☐ cm

자로 잰 길이: ☐ cm

14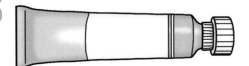

어림한 길이: 약 ☐ cm

자로 잰 길이: ☐ cm

15

어림한 길이: 약 ☐ cm

자로 잰 길이: ☐ cm

[16~19] 자로 물건의 길이를 재어 보고 실제 길이에 더 가깝게 어림한 사람에 ○ 표 하세요.

16

➡ 자로 잰 길이: ☐ cm

| 주민 | 약 4 cm | |
| 근우 | 약 5 cm | |

17

➡ 자로 잰 길이: ☐ cm

| 인숙 | 약 4 cm | |
| 수정 | 약 7 cm | |

18

➡ 자로 잰 길이: ☐ cm

| 현철 | 약 3 cm | |
| 진호 | 약 4 cm | |

19

➡ 자로 잰 길이: ☐ cm

| 현수 | 약 6 cm | |
| 정훈 | 약 9 cm | |

4

단원

1 연필의 길이를 재려고 합니다. ☐ 안에 알맞은 수를 써넣으세요.

   (1) 연필의 오른쪽 끝이 ☐ cm 눈금에 가깝습니다.

   (2) 연필의 길이는 약 ☐ cm입니다.

2 포크의 길이는 약 몇 cm일까요?

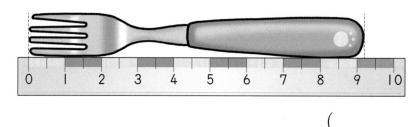

(   )

3 막대 사탕의 길이를 재려고 합니다. 물음에 답하세요.

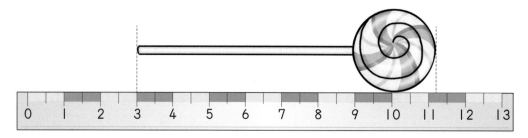

   (1) 막대 사탕의 길이는 1 cm가 몇 번 정도 될까요?

(   )

   (2) 막대 사탕의 길이는 약 몇 cm일까요?

(   )

4 지우개의 길이는 약 몇 cm일까요?

(1)

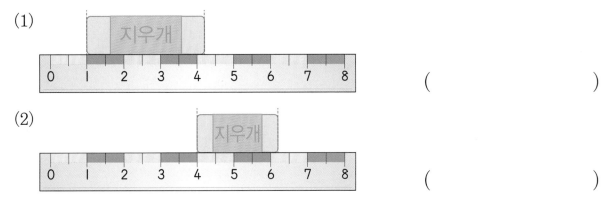

(   )

(2)

(   )

5 삼각형의 세 변의 길이를 자로 재어 보세요.

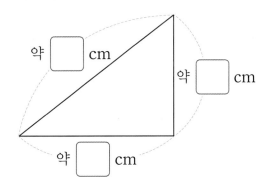

약 ☐ cm

약 ☐ cm

약 ☐ cm

6 색 테이프의 길이를 바르게 나타낸 동물에 ○표 하세요.

약 8 cm

약 6 cm

(   )   (   )

4 단원

7 치약의 길이를 어림하고 자로 재어 보세요.

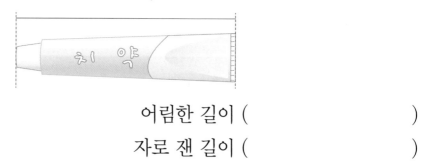

어림한 길이 (   )

자로 잰 길이 (   )

8 ㉠과 ㉡의 길이를 각각 어림하고 자로 재어 보세요.

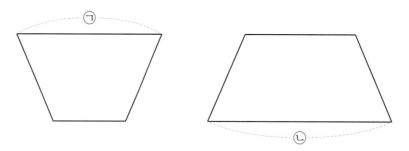

	어림한 길이	자로 잰 길이
㉠		
㉡		

9 보기 에서 알맞은 길이를 골라 문장을 완성해 보세요.

보기

| 1 cm | 7 cm | 30 cm | 130 cm |

(1) 초등학교 **5**학년인 언니의 키는 약 [   ]입니다.

(2) 칫솔의 길이는 약 [   ]입니다.

10 길이가 10 cm인 나무 막대의 길이를 어림한 것입니다. 실제 길이에 더 가깝게 어림한 사람은 누구일까요?

준수	아영
약 12 cm	약 9 cm

(   )

11 주어진 길이를 어림하여 점선을 따라 선을 그어 보세요.

(1) **4 cm** ┠ -

(2) **7 cm** ┠ -

4
단원

12 ㉠의 길이는 2 cm입니다. ㉡의 길이는 약 몇 cm일까요?

㉠ ┠—————┨

㉡ ┠————————————————┨

(   )

1 지우개의 길이는 클립으로 몇 번일까요?

( )

2 풀의 길이는 몇 cm인지 쓰고 읽어 보세요.

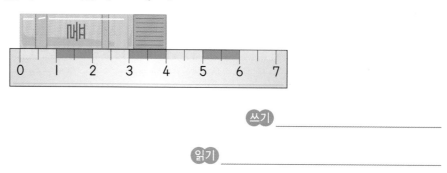

쓰기 _____

읽기 _____

3 색연필의 길이는 몇 cm인지 자로 재어 보세요.

( )

4 물건의 실제 길이에 가장 가까운 것을 찾아 이어 보세요.

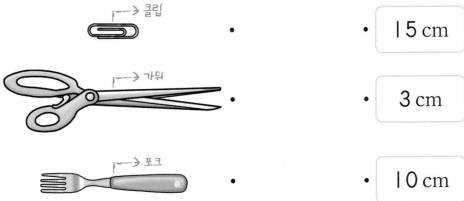

- 클립 •

- 가위 •

- 포크 •

- 15 cm

- 3 cm

- 10 cm

5 ㉠과 ㉡ 중 더 긴 끈의 기호를 써 보세요.

- 끈 ㉠의 길이는 클립으로 **7**번입니다.
- 끈 ㉡의 길이는 **3**뼘입니다.

(   )

6 사탕의 길이를 어림하고 자로 재어 보세요.

어림한 길이 (   )

자로 잰 길이 (   )

[7~8] 다음은 혜승이네 집에서 학교, 도서관, 수영장의 거리를 나타낸 그림입니다. 물음에 답하세요.

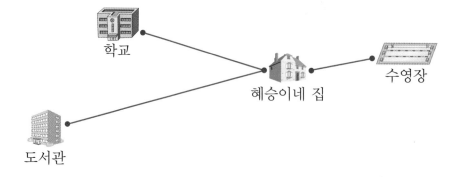

7 혜승이네 집에서 가장 가까운 곳은 어디일까요?

( )

8 혜승이네 집에서 가장 먼 곳은 어디일까요?

( )

9 가장 작은 사각형의 네 변의 길이는 같고 한 변의 길이는 1 cm입니다. 도형을 둘러싼 굵은 선의 길이는 몇 cm일까요?

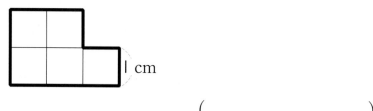

( )

5 분류하기

개념 ① 분류하기

분류: 기준에 따라 나누는 것

과일을 색깔에 따라 분류하기 ⭕

맛있는 과일과 맛없는 과일로 분류하기 ❌

빨간색 과일	노란색 과일	초록색 과일

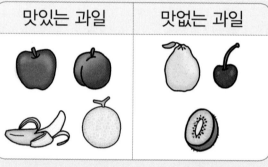

➡ 기준이 분명하지 않아서 결과가 다르게 나올 수 있어요.

분류할 때는 분명한 기준을 정해서 누가 분류하더라도 항상 같은 결과가 나올 수 있도록 해야 합니다.

개념 O X

🎓 분류 기준으로 알맞은 것에 ◯표 하세요.

  ➡ 색깔에 따라 분류   크기에 따라 분류

1 옷을 아래 기준으로 분류하려고 합니다. 분류 기준으로 알맞은 것에 ○표 하세요.

편한 옷과 불편한 옷

위에 입는 옷과 아래에 입는 옷

2 단추를 아래 기준으로 분류하려고 합니다. 분류 기준으로 알맞은 것에 ○표 하세요.

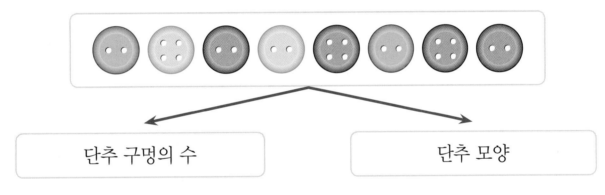

단추 구멍의 수

단추 모양

5
단원

3 동물을 아래 기준으로 분류하려고 합니다. 분류 기준으로 알맞지 <u>않은</u> 것에 ○표 하세요.

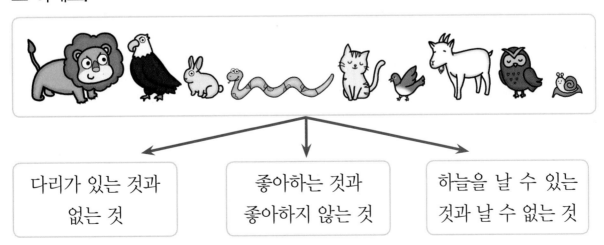

다리가 있는 것과 없는 것

좋아하는 것과 좋아하지 않는 것

하늘을 날 수 있는 것과 날 수 없는 것

개념 ② 기준에 따라 분류하기

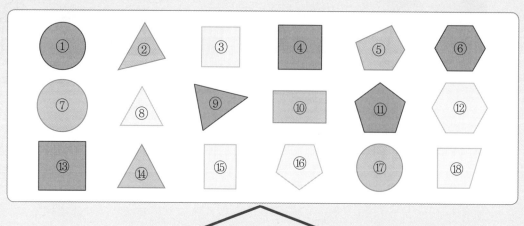

분류 기준

모양에 따라 분류하기

원	삼각형	사각형	오각형	육각형
①	②	③	⑤	⑥
⑦	⑧	④	⑪	⑫
⑰	⑨	⑩	⑯	
	⑭	⑬		
		⑮		
		⑱		

색깔에 따라 분류하기

빨간색	파란색	노란색
①	②	③
④	⑤	⑧
⑥	⑦	⑫
⑨	⑩	⑮
⑪	⑭	⑯
⑬	⑰	⑱

참고
- 삼각형: 변과 꼭짓점이 **3**개인 도형 · 사각형: 변과 꼭짓점이 **4**개인 도형
- 오각형: 변과 꼭짓점이 **5**개인 도형 · 육각형: 변과 꼭짓점이 **6**개인 도형

개념 O X

돈을 지폐와 동전으로 알맞게 분류한 곳에 ◯표 하세요.

[1~2] 칠교판 조각을 정해진 기준에 따라 분류해 보세요.

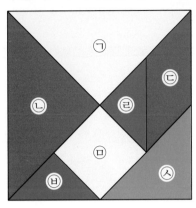

1 분류 기준: 모양

모양	삼각형	사각형
조각 기호		

2 분류 기준: 색깔

색깔	빨간색	파란색	노란색	초록색
조각 기호				

3 여러 가지 공을 종류에 따라 분류해 보세요.

종류	축구공	야구공	배구공
번호			

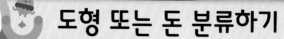
도형 붙임딱지를 붙여서 도형을 기준에 따라 분류해 보세요.

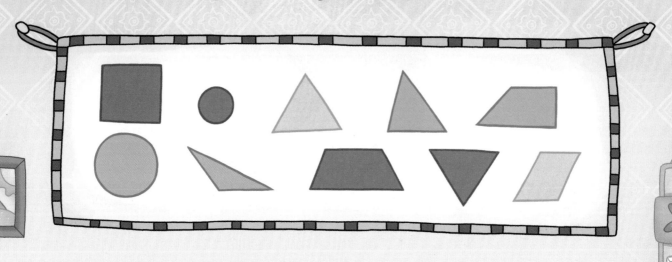

분류 기준: 색깔

빨간색	파란색	노란색
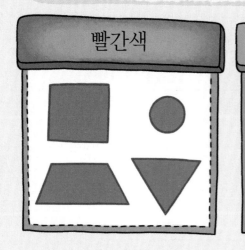		

분류 기준: 변의 수

0개	3개	4개

돈 붙임딱지를 붙여서 돈을 기준에 따라 분류해 보세요.

분류 기준: 종류

| 동전 | 지폐 |

분류 기준: 금액

| 1000원 | 500원 | 100원 |

집중! 드릴 문제

[1~6] 분류 기준으로 알맞은 것에 ○표 하세요.

1

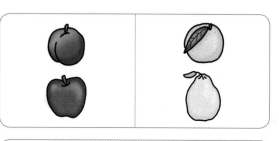

맛
색깔

2

탈 수 있는 것
움직이는 곳

3

저금할 수 있는 것과 없는 것
동전과 지폐

4

사는 곳
좋아하는 먹이

5

공을 사용하는 것과 사용하지 않는 것
재미있는 것과 재미없는 것

6

먹을 수 있는 것과 없는 것
좋아하는 것과 좋아하지 않는 것

[7~9] 도형을 정해진 기준에 따라 분류해 보세요.

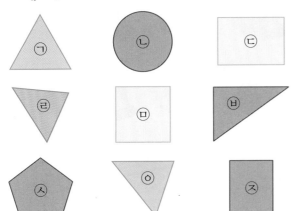

7 분류 기준: 모양

모양	원	삼각형	사각형	오각형
기호				

8 분류 기준: 꼭짓점의 수

꼭짓점의 수	없음	3개	4개	5개
기호				

9 분류 기준: 색깔

색깔	파란색	빨간색	노란색	초록색
기호				

[10~11] 동물을 정해진 기준에 따라 분류해 보세요.

10 분류 기준: 다리의 수

다리의 수	없음	2개	4개
기호			

11 분류 기준: 활동하는 곳

활동하는 곳	하늘	땅	물
기호			

5 단원

1 분류 기준으로 알맞은 것에 ○표 하세요.

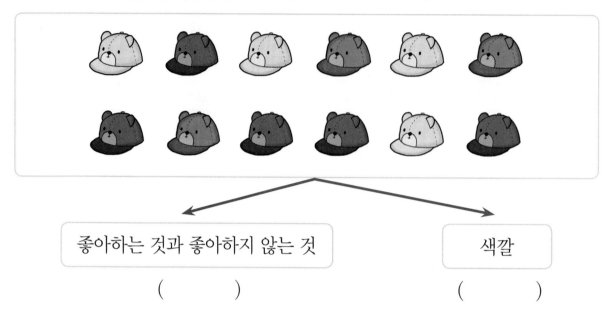

좋아하는 것과 좋아하지 않는 것	색깔
( )	( )

2 다음을 어떻게 분류하면 좋을지 기준을 써 보세요.

_____

_____

3 다음은 영진이가 분류한 것입니다. <u>잘못</u> 분류된 것에 ×표 하세요.

4 크기를 기준으로 분류할 수 있는 것에 ○표 하세요.

 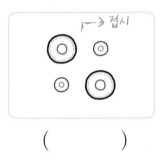 

(   ) (   ) (   )

5
단원

5 도형을 분류할 수 있는 기준을 모두 써 보세요.

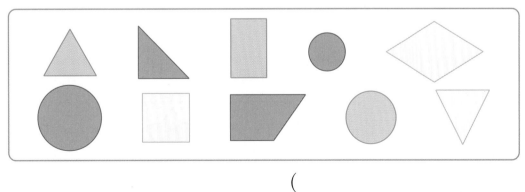

(   )

6 칠판에 붙어 있는 자석을 분류 기준을 정해 분류한 것입니다. 빈칸에 알맞은 분류 기준을 써 보세요.

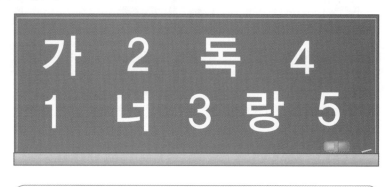

분류 기준:	
가 너 독 랑	1 2 3 4 5

7 지민이가 산 쿠키입니다. 물음에 답하세요.

(1) 모양에 따라 분류하면 몇 가지로 분류할 수 있을까요?

(   )

(2) 모양에 따라 분류하여 기호를 써 보세요.

모양			
기호			

8 분류 기준에 맞게 분류한 것끼리 이어 보세요.

크기 •

종류 •

모양 •

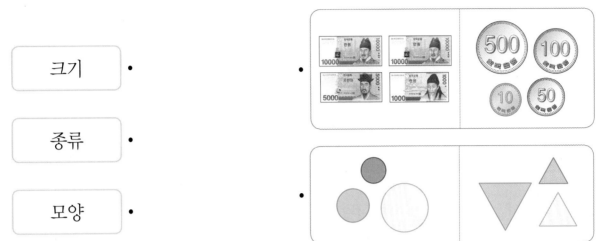

[9~10] 쓰레기통에 있는 쓰레기를 분류하여 버리려고 합니다. 물음에 답하세요.

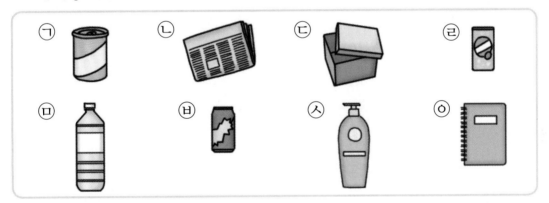

9 쓰레기를 ㉮, ㉯, ㉰와 같이 분류하였을 때 분류 기준을 써 보세요.

분류 기준	

기준	㉮	㉯	㉰
기호	㉠, ㉣, ㉤	㉡, ㉢, ㉪	㉤, ㉦

10 위의 분류 기준으로 종이컵을 분류하려고 할 때, ㉮, ㉯, ㉰ 중 어느 쪽으로 분류해야 할까요?

( )

개념 ③ 분류하여 세어 보기

사과	바나나	키위	멜론	사과	체리	사과
바나나	체리	바나나	사과	키위	멜론	사과

분류 기준: 종류

종류	사과	바나나	키위	멜론	체리
세면서 표시하기	////\	////	///	///	///
수(개)	5	3	2	2	2

분류 기준: 색깔

색깔	빨간색	노란색	초록색
세면서 표시하기	////\ ////	//// ///	//// ////
수(개)	7	3	4

참고

조사한 자료를 셀 때 자료를 빠뜨리지 않고 모두 세어야 합니다. /, √, ○, × 등의 다양한 기호를 이용하여 표시하며 셉니다.

개념 ○ X

🎓 꽃을 종류에 따라 분류하여 그 수를 바르게 센 곳에 ○표 하세요.

종류	🌹	🌸	🌷
꽃의 수(송이)	3	3	2

1 학용품을 종류에 따라 분류하여 그 수를 세어 보세요.

가위	풀	지우개	자	지우개
자	지우개	풀	지우개	풀

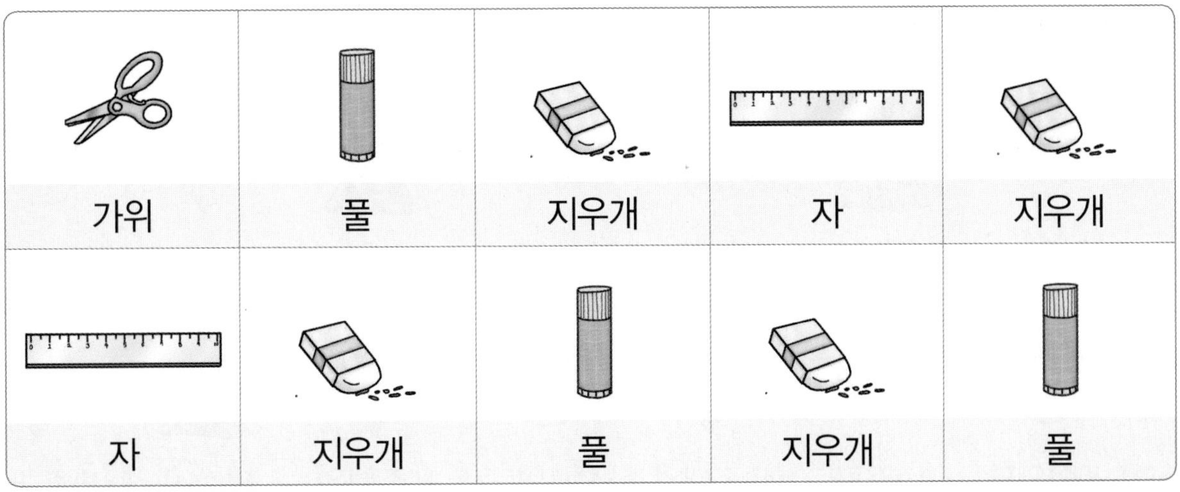

종류	가위	풀	지우개	자
세면서 표시하기	╱╱╱	╱╱╱	╱╱╱	╱╱╱
수(개)				

2 돈을 종류에 따라 분류하여 그 수를 세어 보세요.

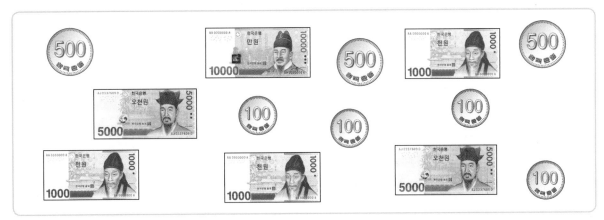

종류	지폐	동전
세면서 표시하기	╱╱╱╱ ╱╱╱╱	╱╱╱╱ ╱╱╱╱
수(개)		

5

단원

개념 4 분류한 결과를 말하기

인물				

분류 기준은? ➡ 존경하는 인물

인물				
세면서 표시하기	1111	111	1111	11
학생 수(명)	5	3	4	2

➡ **분류한 결과**

① 가장 많은 학생들이 존경하는 인물은 세종대왕입니다.

② 가장 적은 학생들이 존경하는 인물은 안중근입니다.

개념 O X

🎓 영아네 모둠 학생들이 좋아하는 음식을 분류하여 그 수를 세었습니다. 분류 결과를 바르게 말한 곳에 ○표 하세요.

종류	자장면	짬뽕	우동
학생 수(명)	4	3	1

가장 많은 학생들이 좋아하는 음식은 자장면입니다.

가장 많은 학생들이 좋아하는 음식은 짬뽕입니다.

[1~2] 상혁이네 모둠 학생들이 좋아하는 콘 아이스크림입니다. 물음에 답하세요.

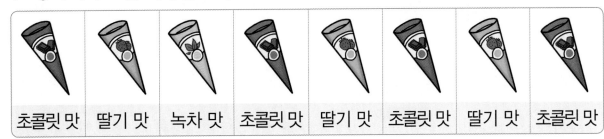

초콜릿 맛	딸기 맛	녹차 맛	초콜릿 맛	딸기 맛	초콜릿 맛	딸기 맛	초콜릿 맛

1 맛에 따라 분류하여 그 수를 세어 보세요.

맛	초콜릿 맛	딸기 맛	녹차 맛
학생 수(명)			

2 가장 많은 학생들이 좋아하는 콘 아이스크림은 어떤 맛일까요?

(   )

[3~4] 가은이네 반 학생들이 좋아하는 놀이입니다. 물음에 답하세요.

딱지치기	제기차기	윷놀이	딱지치기	윷놀이	딱지치기	윷놀이
윷놀이	딱지치기	제기차기	윷놀이	제기차기	윷놀이	딱지치기

3 종류에 따라 분류하여 그 수를 세어 보세요.

종류	딱지치기	제기차기	윷놀이
학생 수(명)			

4 가장 적은 학생들이 좋아하는 놀이는 무엇일까요?

(   )

가은이네 반 학생들이 선물로 받고 싶은 학용품을 조사하였습니다. 기준에 따라 분류하여 그 수를 세어 보세요.

분류 기준: 종류

종류	지우개	색연필	가위	공책
세면서 표시하기	卌卌	붙임딱지	붙임딱지	붙임딱지
수(개)	7			

분류 기준: 색깔

색깔	파란색	보라색	노란색
세면서 표시하기	붙임딱지	붙임딱지	붙임딱지
수(개)			

단추를 기준에 따라 분류하여 그 수를 세어 보세요.

⬤ 분류 기준: 구멍의 수

구멍의 수	2개	4개
세면서 표시하기	붙임딱지	붙임딱지
수(개)		

⬤ 분류 기준: 색깔

색깔	빨간색	초록색	회색
세면서 표시하기	붙임딱지	붙임딱지	붙임딱지
수(개)			

⬤ 분류 기준: 모양

모양	○	△	□
세면서 표시하기	붙임딱지	붙임딱지	붙임딱지
수(개)			

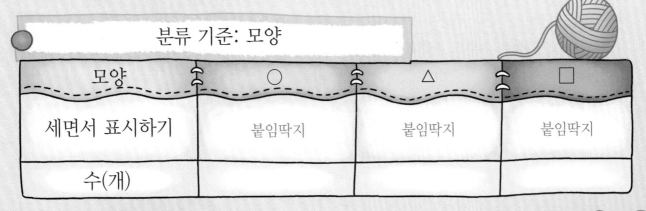

5

단원

[1~2] 도형을 보고 물음에 답하세요.

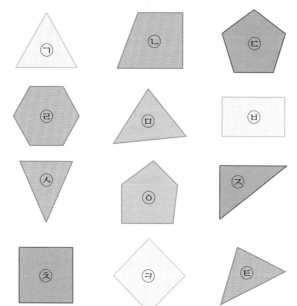

1 변의 수에 따라 분류하고 그 수를 세어 보세요.

변의 수	3개	4개	5개	6개
기호				
수(개)				

2 색깔에 따라 분류하고 그 수를 세어 보세요.

색깔	노란색	초록색	빨간색	파란색
기호				
수(개)				

3 공을 종류에 따라 분류하여 그 수를 세어 보세요.

종류	축구공	농구공	배구공
세면서 표시하기			
수(개)			

4 저금통에 있는 돈을 금액에 따라 분류하여 그 수를 세어 보세요.

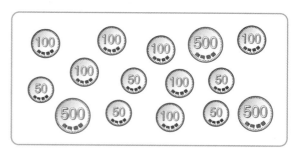

금액	500원	100원	50원
세면서 표시하기			
수(개)			

[5~7] 색연필을 보고 물음에 답하세요.

5 색깔에 따라 분류하여 그 수를 세어 보세요.

색깔	빨간색	파란색	노란색	초록색
수(개)				

6 가장 많은 색깔은 무엇일까요?

( )

7 가장 적은 색깔은 무엇일까요?

( )

[8~11] 영아네 반 학생들이 좋아하는 계절을 조사하였습니다. 물음에 답하세요.

여름	겨울	봄	가을	겨울	여름
봄	여름	가을	여름	겨울	봄
겨울	가을	여름	겨울	여름	겨울
여름	봄	겨울	여름	봄	여름

8 계절에 따라 분류하여 그 수를 세어 보세요.

계절	봄	여름	가을	겨울
학생 수(명)				

9 가장 많은 학생들이 좋아하는 계절은 무엇일까요?

( )

10 가장 적은 학생들이 좋아하는 계절은 무엇일까요?

( )

11 □ 안에 알맞은 말을 써넣으세요.

봄을 좋아하는 학생 수는 □ 을 좋아하는 학생 수보다 많습니다.

[1~3] 여러 가지 글자가 있습니다. 물음에 답하세요.

| 아 A 月 강 d 土 |
| S 四 R 木 물 K |

1 글자 종류에 따라 분류해 보세요.

한글	영어	한자

2 글자 종류에 따라 분류하여 그 수를 세어 보세요.

종류	한글	영어	한자
세면서 표시하기	水	水	水
글자 수(개)			

3 가장 많은 글자 종류는 무엇일까요?

(   )

[4~5] 가영이네 반 학생들이 좋아하는 우유를 조사하였습니다. 물음에 답하세요.

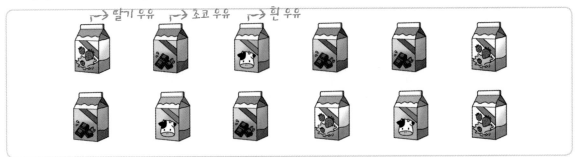

4 종류에 따라 분류하여 그 수를 세어 보세요.

종류	딸기 우유	초코 우유	흰 우유
세면서 표시하기	/////	/////	/////
우유 수(개)			

5 가장 많은 학생들이 좋아하는 우유는 무엇일까요?

(   )

5 단원

6 저금통에 들어 있는 동전입니다. 금액에 따라 분류하여 그 수를 세어 보세요.

금액	500원	100원	10원
동전 수(개)			

7 진주네 반 학생들이 가고 싶어 하는 현장 체험 학습 장소를 조사하였습니다. 현장 체험 학습 장소로 어느 곳을 가는 것이 가장 좋을까요?

장소	박물관	동물원	식물원
학생 수(명)	9	12	5

(   )

8 시연이네 반 학생 20명을 기준에 따라 분류한 것입니다. 빈칸에 알맞은 수를 써넣으세요.

분류 기준	안경을 쓴 학생	안경을 쓰지 않은 학생
학생 수(명)	11	

9 체육 준비실에 있는 공을 분류하여 그 수를 센 것입니다. 농구공은 축구공보다 몇 개 더 많은지 써 보세요.

종류	야구공	농구공	축구공
수(개)	8	15	6

(   )

[10~12] 어느 달의 날씨를 조사하였습니다. 물음에 답하세요.

일	월	화	수	목	금	토
	1 ☀	2 ☀	3 ☀	4 ☀	5 ☂	6 ☂
7 ☀	8 ☀	9 ☁	10 ☂	11 ☀	12 ☁	13 ☀
14 ☀	15 ☂	16 ☀	17 ☀	18 ☀	19 ☀	20 ☁
21 ☀	22 ☀	23 ☀	24 ☀	25 ☁	26 ☂	27 ☂
28 ☀	29 ☀	30 ☁				

☀ : 맑은 날   ☁ : 흐린 날   ☂ : 비 온 날

10 날씨는 모두 몇 가지일까요?

(   )

11 날씨를 분류하여 그 수를 세어 보세요.

날씨			
날수(일)			

12 어떤 날씨가 가장 적었을까요?

(   )

개념 확인평가

5. 분류하기

[1~3] 단추를 보고 물음에 답하세요.

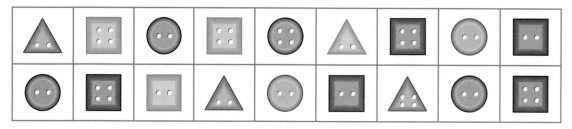

1 단추를 분류한 기준에 ○표 하고, 그 수를 세어 보세요.

분류 기준은? ➡ 구멍의 수 단추 색깔 단추 모양

구멍의 수	2개	4개
수(개)		

2 단추를 분류한 기준에 ○표 하고, 그 수를 세어 보세요.

분류 기준은? ➡ 구멍의 수 단추 색깔 단추 모양

모양	삼각형	사각형	원
수(개)			

3 단추를 분류한 기준에 ○표 하고, 그 수를 세어 보세요.

분류 기준은? ➡ 구멍의 수 단추 색깔 단추 모양

색깔	빨간색	파란색	검은색
수(개)			

[4~6] 동물을 정해진 기준에 따라 분류하고 그 수를 세어 보세요.

㉠	㉡	㉢	㉣	㉤

㉥	㉦	㉧	㉨	㉩

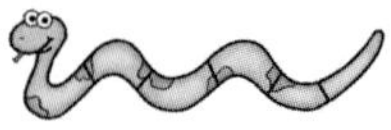

4

분류 기준: 다리의 수

다리의 수	없음	2개	4개
기호			
동물의 수(마리)			

5

분류 기준: 활동하는 곳

활동하는 곳	하늘	땅	물
기호			
동물의 수(마리)			

6

분류 기준: 이동 방법

이동 방법	기어 다님	걸어 다님	날아 다님	헤엄침
기호				
동물의 수(마리)				

[7~10] 10월 한 달의 날씨를 조사하였습니다. 물음에 답하세요.

일	월	화	수	목	금	토
		1 ☀	2 ☁	3 ☂	4 ☂	5 ☁
6 ☀	7 ☀	8 ☁	9 ☀	10 ☀	11 ☀	12 ☀
13 ☀	14 ☀	15 ☀	16 ☀	17 ☁	18 ☀	19 ☀
20 ☁	21 ☂	22 ☁	23 ☀	24 ☀	25 ☀	26 ☁
27 ☀	28 ☀	29 ☀	30 ☁	31 ☁		

☀ : 맑은 날　　☁ : 흐린 날　　☂ : 비 온 날

7 날씨에 따라 분류하고 그 수를 세어 보세요.

날씨	맑은 날	흐린 날	비 온 날
날짜			
날수(일)			

8 가장 많은 날수는 어떤 날씨인지 써 보세요.

(　　　　　　　　)

9 가장 적은 날수는 어떤 날씨인지 써 보세요.

(　　　　　　　　)

10 맑은 날은 흐린 날보다 며칠 더 많은지 식을 쓰고 답을 구해 보세요.

식 _____

답 _____

6 곱셈

교과서 개념 잡기

개념 ① 여러 가지 방법으로 세어 보기

• 하나씩 세기

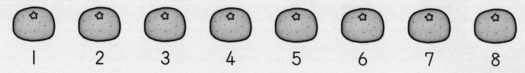

1	2	3	4	5	6	7	8

➡ 귤을 하나씩 세면 1, 2, 3, 4, 5, 6, 7, 8이므로 모두 8개입니다.

• 뛰어 세기

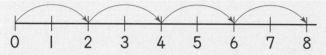

➡ 2씩 뛰어 세면 귤은 2, 4, 6, 8이므로 모두 8개입니다.

• 묶어 세기

➡ 2개씩 묶어 세면 4묶음이므로 귤은 모두 8개입니다.

참고

수를 셀 때 같은 수로 묶을 수 없을 때는 묶어서 센 수에 낱개를 더합니다.

예 귤 8개는 3개씩 2묶음에 낱개 2개를 더해서 셀 수 있습니다.

여러 가지 방법으로 셀 수 있지만 묶어 세는 방법이 가장 편리합니다.

개념 O X

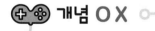

사과를 3씩 묶어 센 것에 ○표 하세요.

1 야구공은 모두 몇 개인지 하나씩 세어 보세요.

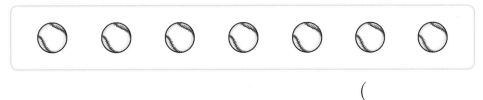

(   )

2 무당벌레는 모두 몇 마리인지 5씩 뛰어 세어 보세요.

무당벌레를 5씩 뛰어 세면 5, 10, □ , □ 이므로

무당벌레는 모두 □ 마리입니다.

3 벌은 모두 몇 마리인지 9씩 묶어 세어 보세요.

□ — □ — □

벌은 모두 □ 마리입니다.

개념 **②** 묶어 세기

- 5씩 묶어 세기

5	5	5

↓

5씩 3묶음

5	10	15

➡ 도토리는 5씩 3묶음이므로 모두 15개입니다.

- 3씩 묶어 세기

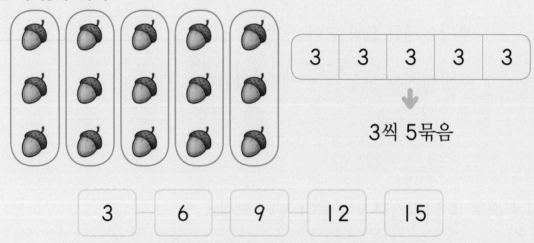

3	3	3	3	3

↓

3씩 5묶음

3	6	9	12	15

➡ 도토리는 3씩 5묶음이므로 모두 15개입니다.

개념 O X

🎓 4씩 묶어 센 것에 ○표 하세요.

4	4	4

4	8	12

3	3	3	3

3	6	9	12

1 풍선은 모두 몇 개인지 알아보려고 합니다. 물음에 답하세요.

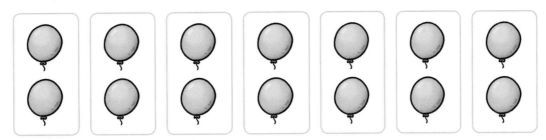

(1) 2씩 묶어 세어 보세요.

2						

(2) 풍선은 모두 몇 개일까요?

(   )

2 ☐ 안에 알맞은 수를 써넣으세요.

4씩 ☐ 묶음은 ☐ 입니다.

3 꽃은 모두 몇 송이인지 ☐ 안에 알맞은 수를 써넣으세요.

꽃은 3씩 ☐ 묶음이므로 모두 ☐ 송이입니다.

가게에 있는 여러 가지 먹거리의 수를 묶어 세어 보려고 합니다. 묶어 세는 수에 맞게 붙임딱지를 붙이고 ☐ 안에 알맞은 수를 써넣으세요.

4

사탕은 ☐씩 ☐묶음이므로 모두 ☐개입니다.

6

도넛은 ☐씩 ☐묶음이므로 모두 ☐개입니다.

2

마카롱은 ☐씩 ☐묶음이므로 모두 ☐개입니다.

체리는 ☐씩 ☐묶음이므로 모두 ☐개입니다.

참외는 ☐씩 ☐묶음이므로 모두 ☐개입니다.

귤은 ☐씩 ☐묶음이므로 모두 ☐개입니다.

토마토

[1~3] 그림을 보고 여러 가지 방법으로 뛰어 세어 보세요.

1

(1) 2씩 뛰어서 세기

2					

(2) 4씩 뛰어서 세기

4		

2

(1) 3씩 뛰어서 세기

3				

(2) 6씩 뛰어서 세기

6		

3

(1) 4씩 뛰어서 세기

4			

(2) 5씩 뛰어서 세기

5			

[4~7] 그림을 보고 묶어 세어 보세요.

4

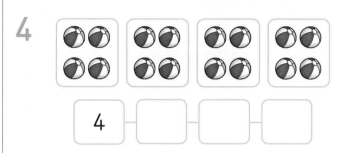

4			

5

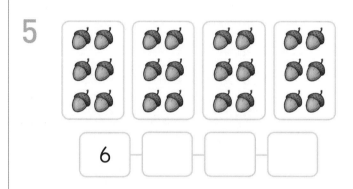

6			

6

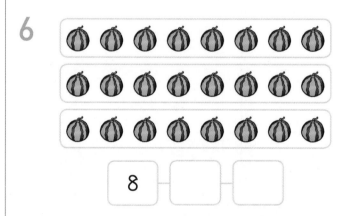

8		

7

7			

[8~15] 그림을 보고 ☐ 안에 알맞은 수를 써넣으세요.

8

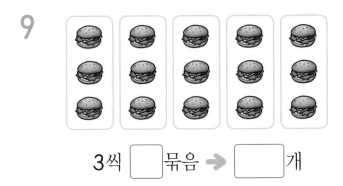

4씩 ☐ 묶음 ➡ ☐ 마리

9

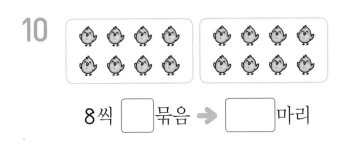

3씩 ☐ 묶음 ➡ ☐ 개

10

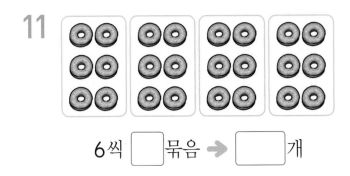

8씩 ☐ 묶음 ➡ ☐ 마리

11

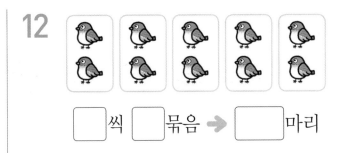

6씩 ☐ 묶음 ➡ ☐ 개

12

☐ 씩 ☐ 묶음 ➡ ☐ 마리

13

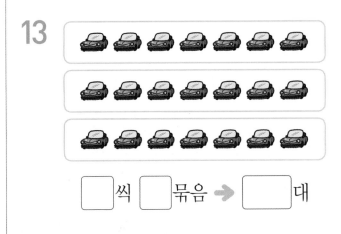

☐ 씩 ☐ 묶음 ➡ ☐ 대

14

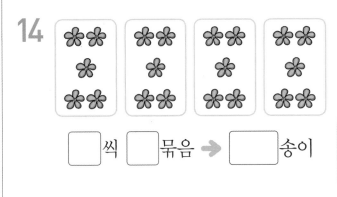

☐ 씩 ☐ 묶음 ➡ ☐ 송이

15

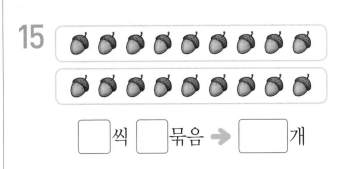

☐ 씩 ☐ 묶음 ➡ ☐ 개

6

단원

6. 곱셈 · **153**

1 컵케이크는 모두 몇 개인지 구하려고 합니다. 물음에 답하세요.

(1) 하나씩 세어 보세요.

I, 2, ☐, ☐, ☐, ☐, ☐, ☐, ☐, ☐

(2) 2씩 뛰어서 세어 보세요.

② — ◯ — ◯ — ◯ — ◯

(3) 컵케이크는 모두 몇 개일까요?

(   )

2 오이는 모두 몇 개인지 3씩 뛰어 세고 구해 보세요.

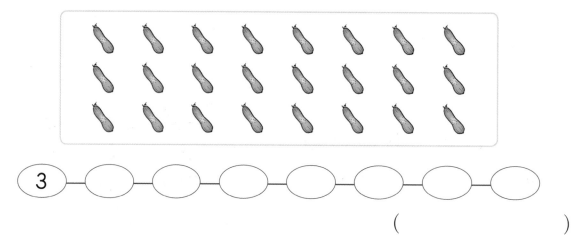

③ — ◯ — ◯ — ◯ — ◯ — ◯ — ◯ — ◯

(   )

3 사과는 모두 몇 개인지 ☐ 안에 알맞은 수를 써넣으세요.

사과는 6씩 ☐ 묶음이므로 모두 ☐ 개입니다.

4 밤은 몇씩 몇 묶음인지 ☐ 안에 알맞은 수를 써넣으세요.

☐씩 ☐묶음

5 그림을 보고 ☐ 안에 알맞은 수를 써넣으세요.

(1) 4씩 ☐묶음입니다.

(2) 4씩 묶어 세면 ☐─☐─☐─☐입니다.

(3) 햄버거는 모두 ☐개입니다.

6 묶어 세기한 것입니다. 빈칸에 알맞은 수를 써넣으세요.

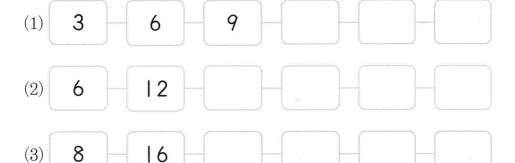

(1) 3 ─ 6 ─ 9 ─ ☐ ─ ☐ ─ ☐

(2) 6 ─ 12 ─ ☐ ─ ☐ ─ ☐ ─ ☐

(3) 8 ─ 16 ─ ☐ ─ ☐ ─ ☐ ─ ☐

6

단원

7 관계있는 것끼리 이어 보세요.

2씩 8묶음	·
3씩 5묶음	·
6씩 3묶음	·

·	15
·	16
·	18

8 귤을 6씩 묶고 모두 몇 개인지 구해 보세요.

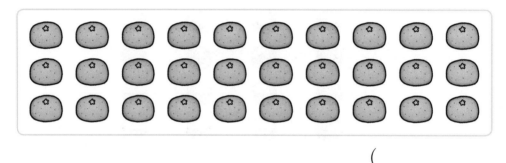

(   )

9 ☐ 안에 알맞은 수를 써넣으세요.

(1) ☐씩 ☐묶음

(2) ☐씩 ☐묶음

(3) ☐씩 ☐묶음

10 양은 모두 몇 마리인지 묶어 세려고 합니다. □ 안에 알맞은 수를 써넣으세요.

(1) 4씩 □묶음이므로 모두 □마리입니다.

(2) 7씩 □묶음이므로 모두 □마리입니다.

11 □ 안에 알맞은 수를 써넣으세요.

(1) 3씩 4묶음은 4씩 □묶음입니다.

(2) 8씩 5묶음은 5씩 □묶음입니다.

12 꽃은 모두 몇 송이인지 묶어 세어 보세요.

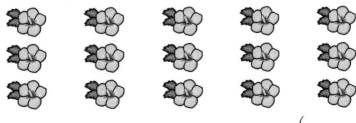

( )

개념 ③ 2의 몇 배 알아보기

- 몇 배인지 알아보기

2씩 4묶음은 8입니다.

2씩 4묶음은 2의 4배입니다.

➡ 2의 4배는 8입니다.

- 덧셈식으로 나타내기

2의 4배는 2를 4번 더한 것과 같습니다.

2의 4배 ➡ 2+2+2+2=8

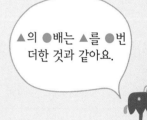

▲의 ●배는 ▲를 ●번 더한 것과 같아요.

- 몇의 몇 배 알아보기

3씩 1묶음 ➞  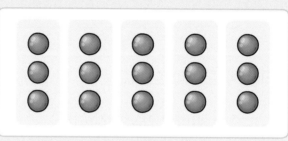 ⟵ 3씩 5묶음

파란색 구슬의 수는 빨간색 구슬의 수의 5배입니다.

┗➞ 15개   ┗➞ 3개

➡ 15는 3의 5배입니다.

개념 O X

🎓 5의 2배를 나타내는 그림에 ○표 하세요.

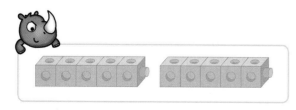

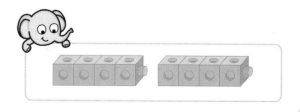

1 케이크를 묶어 세려고 합니다. 물음에 답하세요.

(1) 케이크의 수는 3씩 몇 묶음일까요?

(   )

(2) 케이크의 수는 3의 몇 배일까요?

(   )

2 그림을 보고 ☐ 안에 알맞은 수를 써넣으세요.

6씩 ☐ 묶음은 12입니다.

6의 ☐ 배는 ☐ 입니다.

3 배추의 수는 버섯의 수의 몇 배일까요?

(   )

4 9의 6배를 덧셈식으로 나타내어 보세요.

덧셈식 _____

개념 **④** 곱셈식 알아보기

· 곱셈 알아보기

5의 4배 ➡ 쓰기: 5×4
읽기: 5 곱하기 4

곱셈 기호를
쓰는 순서

· 곱셈식 알아보기

$4+4$는 4×2와 같습니다.

$4 \times 2 = 8$ ➡ $4 \times 2 = 8$은 4 곱하기 2는 8과 같습니다라고 읽습니다.

4와 2의 곱은 8입니다.

개념 **⑤** 곱셈식으로 나타내기

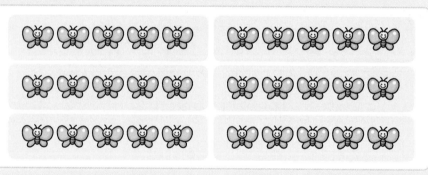

나비가 5마리씩 6묶음 있으므로 나비의 수는 5의 6배입니다.

덧셈식 $5+5+5+5+5+5=30$　　곱셈식 $5 \times 6 = 30$

개념 **O X**

🎓 6의 4배를 나타내는 곱셈식에 ○표 하세요.

$6+4$

6×4

1 알맞은 식에 ○표 하세요.

7의 8배를 (7×8 , 7+8)이라고 씁니다.

2 □ 안에 알맞은 수를 써넣으세요.

(1) 9의 4배 ➡ □×□

(2) 3의 6배 ➡ □×□

3 그림을 보고 덧셈식과 곱셈식으로 나타내어 보세요.

덧셈식 _____

곱셈식 _____

4 곱셈식을 읽어 보세요.

8×9=72

읽기 _____

6 단원

준비물 붙임딱지

과일이나 동물의 수를 나타낸 곱셈식을 각각 2개씩 찾아 붙임딱지를 붙이고 모두 얼마인지 써 보세요.

개

사과

개

귤

개

복숭아

병아리 　마리

오리 　마리

소 　마리

돼지 　마리

집중! 드릴 문제

[1~5] 보기 와 같이 나타내어 보세요.

보기

6씩 4묶음 ➡ 6의 4배
➡ _6+6+6+6_

1 7씩 3묶음 ➡ □의 □배

➡ _____

2 5씩 7묶음 ➡ □의 □배

➡ _____

3 8씩 6묶음 ➡ □의 □배

➡ _____

4 3씩 5묶음 ➡ □의 □배

➡ _____

5 9씩 4묶음 ➡ □의 □배

➡ _____

[6~10] 그림을 보고 □ 안에 알맞은 수를 써넣으세요.

6

$2 \times \square = \square$

7

$6 \times \square = \square$

8

$\square \times \square = \square$

9

$\square \times \square = \square$

10

$\square \times \square = \square$

[11~16] 곱셈식을 읽어 보세요.

11 $3 \times 7 = 21$

읽기 _____

12 $4 \times 8 = 32$

읽기 _____

13 $8 \times 7 = 56$

읽기 _____

14 $2 \times 9 = 18$

읽기 _____

15 $6 \times 8 = 48$

읽기 _____

16 $5 \times 9 = 45$

읽기 _____

[17~22] 곱셈식으로 나타내어 보세요.

17 8 곱하기 5는 40과 같습니다.

곱셈식 _____

18 7 곱하기 4는 28과 같습니다.

곱셈식 _____

19 9 곱하기 3은 27과 같습니다.

곱셈식 _____

20 2 곱하기 7은 14와 같습니다.

곱셈식 _____

21 5 곱하기 6은 30과 같습니다.

곱셈식 _____

22 6 곱하기 9는 54와 같습니다.

곱셈식 _____

6

단원

1 그림을 보고 ☐ 안에 알맞은 수를 써넣으세요.

(1) 3씩 ☐묶음이므로 3의 ☐배입니다.

(2) 3의 ☐배는 ☐입니다.

(3) ☐ + ☐ + ☐ + ☐ = ☐

2 가위의 수는 풀의 수의 몇 배일까요?

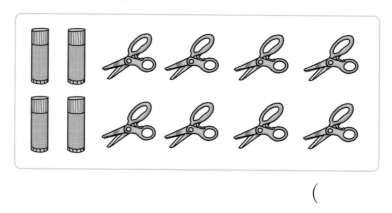

(   )

3 ☐ 안에 알맞은 수를 써넣으세요.

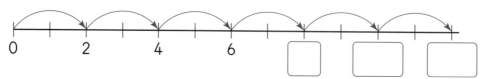

➡ 12는 2의 ☐배입니다.

4 그림을 보고 ☐ 안에 알맞은 수를 써넣으세요.

(1)

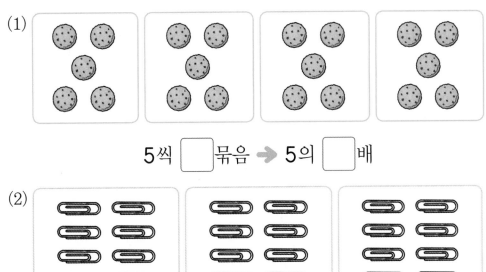

5씩 ☐묶음 ➡ 5의 ☐배

(2)

8씩 ☐묶음 ➡ 8의 ☐배

5 다음 중 나타내는 수가 <u>다른</u> 것을 찾아 기호를 써 보세요.

㉠ 6의 7배   ㉡ 6+7   ㉢ 6씩 7묶음   ㉣ 6×7

(   )

6 빵의 수를 곱셈식으로 바르게 나타낸 것을 찾아 이어 보세요.

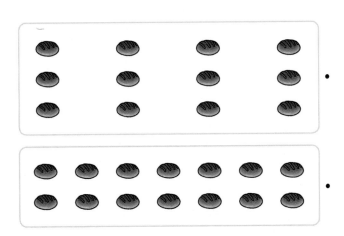

·   4×3=12

·   7×2=14

·   3×5=15

7 덧셈식을 곱셈식으로 나타내어 보세요.

(1) $6+6+6+6+6=$ ☐ ➡ ☐ × ☐ = ☐

(2) $4+4+4+4+4+4=$ ☐ ➡ ☐ × ☐ = ☐

(3) $9+9+9=$ ☐ ➡ ☐ × ☐ = ☐

8 ☐ 안에 알맞은 수를 써넣으세요.

(1) 9의 4배는 ☐ 입니다.　　(2) 3의 6배는 ☐ 입니다.

(3) 4의 5배는 ☐ 입니다.　　(4) 8의 8배는 ☐ 입니다.

9 그림을 보고 ☐ 안에 알맞은 수를 써넣으세요.

➡ 거미의 다리는 8개입니다.	$8 \times 1 = 8$
	$8 \times$ ☐ $=$ ☐
	$8 \times$ ☐ $=$ ☐
	$8 \times$ ☐ $=$ ☐

10 그림을 보고 □ 안에 알맞은 수를 써넣으세요.

$9 \times \square = \square$, $5 \times \square = \square$

11 크기를 비교하여 ○ 안에 >, =, <를 알맞게 써넣으세요.

(1) 5×7 ○ 4씩 9묶음

(2) 7의 2배 ○ 3×4

12 귤이 한 봉지에 6개씩 들어 있습니다. 3봉지에 들어 있는 귤은 모두 몇 개일까요?

( )

1 나비는 모두 몇 마리인지 하나씩 세어 보세요.

(   )

2 아이스크림은 모두 몇 개인지 6씩 뛰어 세고 구해 보세요.

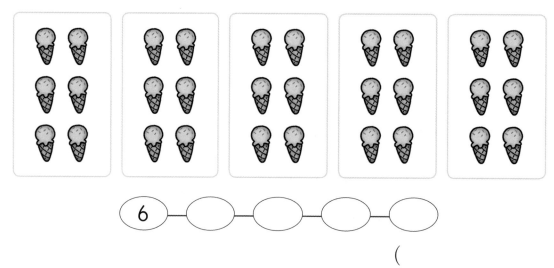

⑥ ─ ◯ ─ ◯ ─ ◯ ─ ◯

(   )

3 사탕의 수를 곱셈으로 바르게 나타낸 것은 어느 것일까요?·············· (   )

① 2×6   ② 3×6   ③ 6×6

④ 3×5   ⑤ 8×6

정답과 풀이 p.42

4 ☐ 안에 알맞은 수를 써넣으세요.

7씩 6묶음 ➡ 7의 ☐ 배

➡ ☐ + ☐ + ☐ + ☐ + ☐ + ☐

5 그림을 보고 ☐ 안에 알맞은 수를 써넣으세요.

(1) 2씩 ☐ 묶음은 ☐ 입니다.

(2) 2씩 ☐ 묶음은 2의 ☐ 배입니다.

(3) 2의 ☐ 배는 ☐ 입니다.

6 식빵의 수는 케이크의 수의 몇 배일까요?

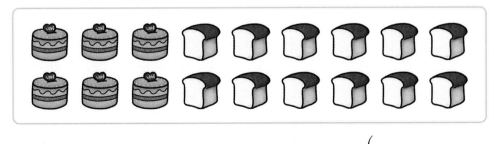

(   )

7 관계있는 것끼리 이어 보세요.

9의 3배 •   • 8×3

8씩 3묶음 •   • 9×3

7 곱하기 4 •   • 7×4

8 □ 안에 알맞은 수를 써넣으세요.

(1) 48은 6의 □배입니다.

(2) 63은 7의 □배입니다.

9 연필은 모두 몇 자루인지 곱셈식으로 나타내고 답을 구해 보세요.

식 _____

답 _____

6쪽, 8쪽

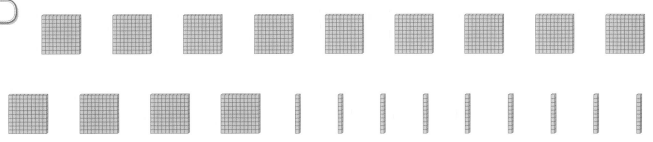

10~11쪽

22~23쪽

205	215	230	242	246	247	248	250	270
290	293	299	301	302	303	303	305	306
313	337	347	357	363	387	406	409	416
421	423	424	425	426	436	505	515	705

51쪽

66~67쪽

17

25

29

35

37

42

43

43

47

47

52

54

61

63

81

91

자르는 선

107쪽

122~123쪽

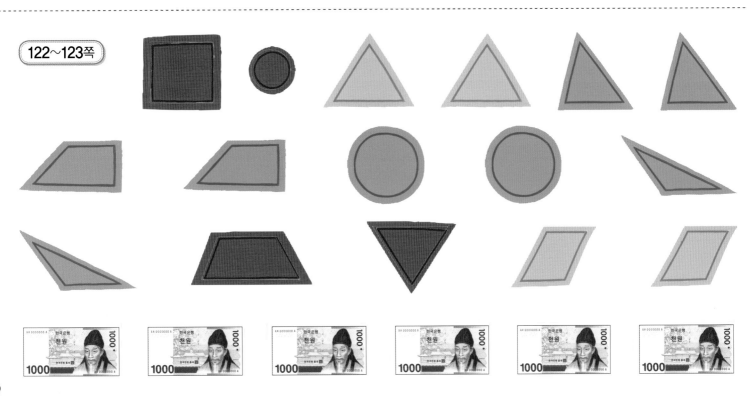

각자 여러 가지 모양을 생각하여 만들어 보세요.

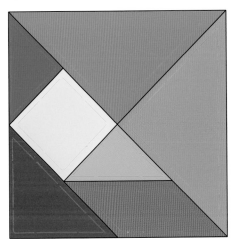 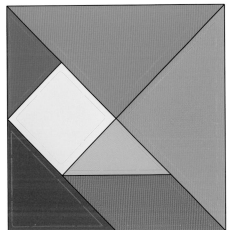 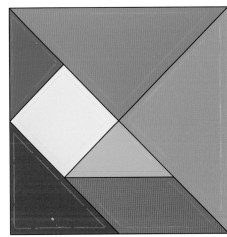

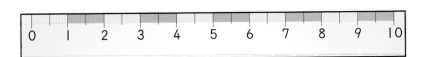

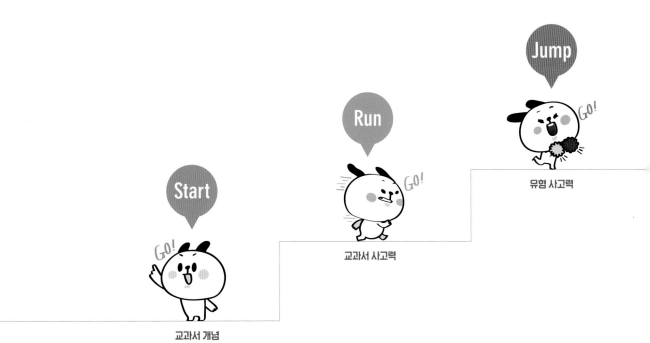

Start

교과서 개념

Run

교과서 사고력

Jump

유형 사고력

#난이도별
#천재되는_수학교재

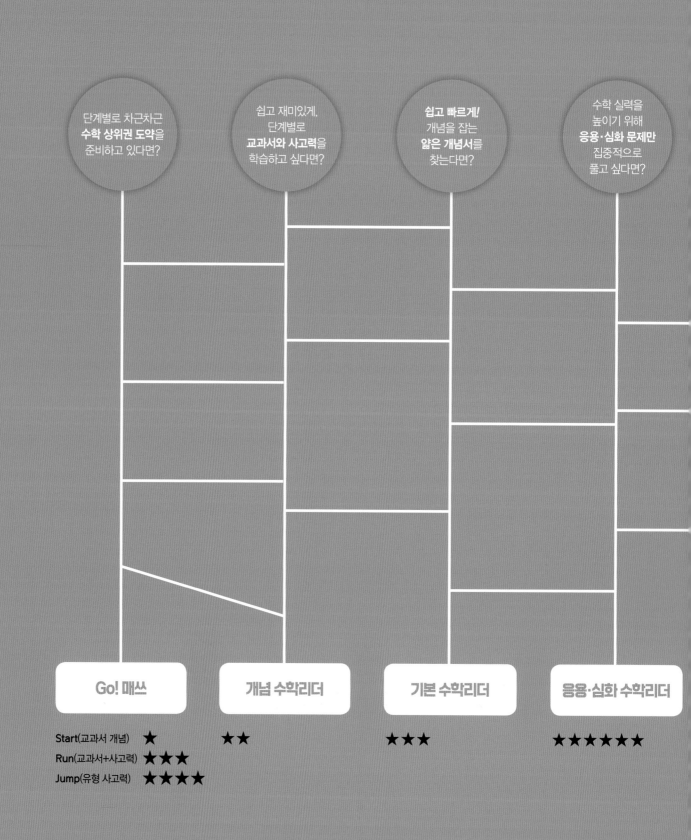

단계별로 차근차근
수학 상위권 도약을
준비하고 있다면?

쉽고 재미있게,
단계별로
교과서와 사고력을
학습하고 싶다면?

쉽고 빠르게!
개념을 잡는
얇은 개념서를
찾는다면?

수학 실력을
높이기 위해
응용·심화 문제만
집중적으로
풀고 싶다면?

Go! 매쓰　　　　　**개념 수학리더**　　　　　**기본 수학리더**　　　　　**응용·심화 수학리더**

Start(교과서 개념) ★　　　　★★　　　　★★★　　　　★★★★★
Run(교과서+사고력) ★★★
Jump(유형 사고력) ★★★★

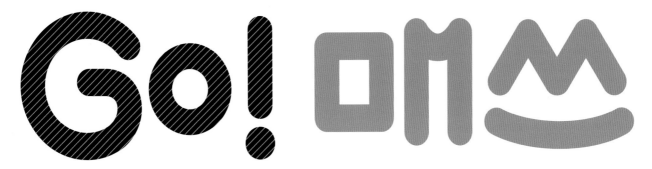

교과서 GO! 사고력 GO!

GO! 매쓰

GO!

Start
교과서 개념

정답과 풀이   수학 2-1

정답과 해설
포인트 2가지

▶ 선생님이나 학부모가 쉽게 문제와 풀이를 한눈에 볼 수 있어요.

▶ 자세한 활동 수업에 대한 팁이 가득하게 들어 있어요.

교과서 개념 잡기

개념 ① 90보다 10만큼 더 큰 수 알아보기

• 90보다 10만큼 더 큰 수는 100입니다.

100은 백이라고 읽습니다.

> 100: 99보다 1 큰 수
> 98보다 2 큰 수

십 모형 9개   십 모형 1개

• 10이 10개이면 100입니다.

> 100: 1이 100개인 수

십 모형 10개 = 백 모형 1개

개념 ② 몇백 알아보기

100이 2개이면 200입니다. → 200 (읽기: 이백)	100이 6개이면 600입니다. → 600 (읽기: 육백)
100이 3개이면 300입니다. → 300 (읽기: 삼백)	100이 7개이면 700입니다. → 700 (읽기: 칠백)
100이 4개이면 400입니다. → 400 (읽기: 사백)	100이 8개이면 800입니다. → 800 (읽기: 팔백)
100이 5개이면 500입니다. → 500 (읽기: 오백)	100이 9개이면 900입니다. → 900 (읽기: 구백)

개념 Play   준비물 붙임딱지

주어진 수만큼 ▦ 붙임딱지를 붙여 보세요.

700

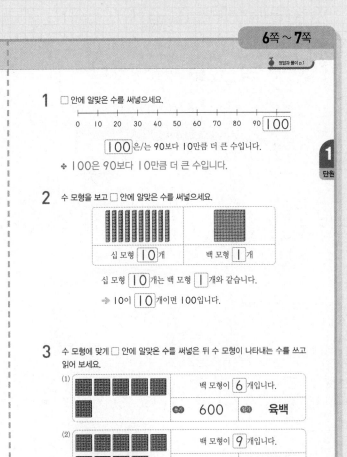

1 □ 안에 알맞은 수를 써넣으세요.

0 10 20 30 40 50 60 70 80 90 [100]

[100]은/는 90보다 10만큼 더 큰 수입니다.

❖ 100은 90보다 10만큼 더 큰 수입니다.

2 수 모형을 보고 □ 안에 알맞은 수를 써넣으세요.

십 모형 [10]개   백 모형 [1]개

십 모형 [10]개는 백 모형 [1]개와 같습니다.

➡ 10이 [10]개이면 100입니다.

3 수 모형에 맞게 □ 안에 알맞은 수를 써넣은 뒤 수 모형이 나타내는 수를 쓰고 읽어 보세요.

(1) 백 모형이 [6]개입니다.
쓰기 600 읽기 육백

(2) 백 모형이 [9]개입니다.
쓰기 900 읽기 구백

❖ 백 모형이 ■개이면 ■00이라고 씁니다.

교과서 개념 잡기

개념 ③ 세 자리 수 알아보기

백 모형	십 모형	일 모형
100이 3개	10이 5개	1이 4개

100이 3개, 10이 5개, 1이 4개이면 354입니다.
354는 삼백오십사라고 읽습니다.

백 모형	십 모형	일 모형
100이 4개	10이 0개	1이 6개

100이 4개, 10이 0개, 1이 6개이면 406입니다.
406은 사백육이라고 읽습니다.

> 주의
> 0은 수로 나타낼 때만 쓰고 읽지는 않아요.
> 406 ➡ 사백영육 (×)
> 사백육 (○)
>
> 자리의 숫자가 1일 때는 값만 읽어요.
> 513 ➡ 오백일십삼 (×)
> 오백십삼 (○)

개념 Play   준비물 붙임딱지

주어진 수만큼 ▦ 붙임딱지를 붙여 보세요.

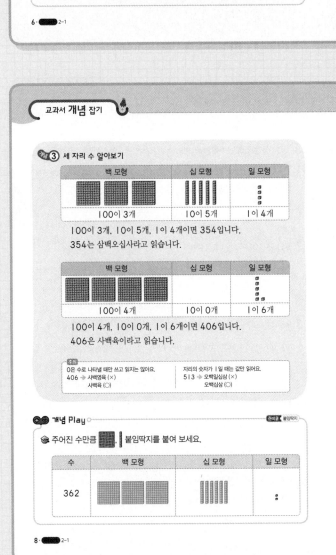

수	백 모형	십 모형	일 모형
362			

1 수 모형이 나타내는 수를 쓰고 읽어 보려고 합니다. □ 안에 알맞은 수와 말을 써넣으세요.

백 모형	십 모형	일 모형
100이 [3]개	10이 [6]개	1이 [9]개

➡ [369](이)라 쓰고 [삼백육십구] (이)라고 읽습니다.

❖ 100이 3개이면 300, 10이 6개이면 60, 1이 9개이면 9이므로 369라 쓰고 삼백육십구라고 읽습니다.

2 수 모형이 나타내는 수를 쓰고 읽어 보세요.

쓰기 587 읽기 오백팔십칠

❖ 100이 5개이면 500, 10이 8개이면 80, 1이 7개이면 7이므로 587이라 쓰고 오백팔십칠이라고 읽습니다.

3 빨대의 수를 쓰고 읽어 보세요.

쓰기 458 읽기 사백오십팔

❖ 100이 4개이면 400, 10이 5개이면 50, 1이 8개이면 8이므로 458이라 쓰고 사백오십팔이라고 읽습니다.

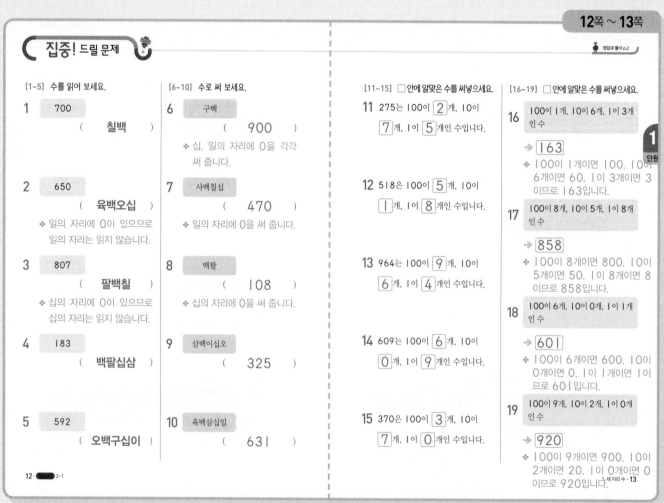

교과서 **개념 확인 문제**

정답과 풀이 p.3

1 수 모형을 보고 □ 안에 알맞은 수나 말을 써넣으세요.

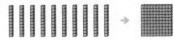

(1) 10개씩 10묶음은 **100** 입니다.

(2) 100은 **백** 이라고 읽습니다.

❖ (1) 10개씩 10묶음은 100입니다.
　(2) 100은 백이라고 읽습니다.

2 □ 안에 알맞은 수를 써넣으세요.

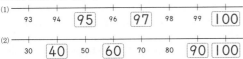

(1) 93　94　**95**　96　**97**　98　99　**100**

(2) 30　**40**　50　**60**　70　80　**90**　100

❖ (1) 93부터 수를 순서대로 세어 봅니다.
　(2) 30부터 10 큰 수씩 차례로 씁니다.

3 돈을 가장 많이 가지고 있는 친구의 이름을 써 보세요.

| 혜미 | 영진 | 지후 |

(**영진**)

❖ 혜미는 10원짜리 동전 8개, 1원짜리 동전 9개이므로 89원,
영진이는 100원짜리 동전 1개이므로 100원, 지후는 1원짜리 동전 7개이므로 17원을 가지고 있습니다.
따라서 돈을 가장 많이 가지고 있는 친구는 영진이입니다.

4 수 모형을 보고 □ 안에 알맞은 수를 써넣으세요.

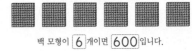

백 모형이 **6** 개이면 **600** 입니다.

5 수를 읽어 보거나 수로 써 보세요.

(1) 300 ➡ (**삼백**)　(2) 팔백 ➡ (**800**)

(3) 사백 ➡ (**400**)　(4) 500 ➡ (**오백**)

❖ (1) 300은 삼백이라고 읽습니다.　(2) 팔백 ➡ 800
　(3) 사백 ➡ 400　　(4) 500은 오백이라고 읽습니다.

6 동전은 모두 얼마인지 수를 쓰고 읽어 보세요.

쓰기 **200** 원　읽기 **이백** 원

❖ 10원짜리 동전이 10개이면 100원이고, 100원씩 2묶음이므로 200원입니다.

7 □ 안에 알맞은 수를 써넣으세요.

(1) 300은 100이 **3** 개인 수입니다.

(2) 700은 100이 **7** 개인 수입니다.

14 · 1. 세 자리 수 · 15

교과서 **개념 확인 문제**

정답과 풀이 p.3

8 같은 수끼리 이어 보세요.

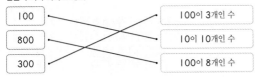

100　　　100이 3개인 수
800　　　10이 10개인 수
300　　　100이 8개인 수

❖ 100이 3개인 수는 300입니다. 10이 10개인 수는 100입니다. 100이 8개인 수는 800입니다.

9 옳은 것에 ○표, 틀린 것에 ×표 하세요.

(1) 10이 6개이면 600입니다. ⋯⋯⋯⋯⋯ (×)

(2) 100이 9개이면 900입니다. ⋯⋯⋯⋯⋯ (○)

(3) 500은 100이 5개인 수입니다. ⋯⋯⋯⋯ (○)

❖ (1) 10이 6개이면 60입니다.

10 수 모형이 나타내는 수를 쓰고 읽어 보세요.

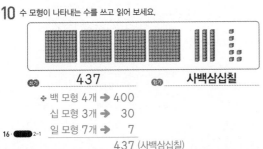

쓰기 **437**　읽기 **사백삼십칠**

❖ 백 모형 4개 ➡ 400
십 모형 3개 ➡ 30
일 모형 7개 ➡ 7
437 (사백삼십칠)

11 수를 읽어 보거나 수로 써 보세요.

(1) 328
➡ (**삼백이십팔**)

(2) 팔백사
➡ (**804**)

(3) 육백십오
➡ (**615**)

(4) 796
➡ (**칠백구십육**)

12 수로 바르게 나타낸 것에 ○표 하세요.

| 사백이십삼 | 432　400203 |
| | (423)　243 |

13 순서에 맞게 빈칸에 알맞은 수를 써넣으세요.

101 102 103 104 **105** **106** 107 **108** 109 **110**
111 **112** **113** **114** 115 **116** **117** 118 **119** **120**

❖ 101부터 오른쪽으로 순서대로 읽으면 백의 자리, 십의 자리 숫자는 변화가 없고 일의 자리 숫자만 1씩 커집니다.

14 나경이는 100원짜리 동전 8개, 10원짜리 동전 5개, 1원짜리 동전 2개를 가지고 있습니다. 나경이가 가지고 있는 돈은 모두 얼마일까요?

❖ 100원짜리 동전 8개 ➡ 800원　(**852원**)
10원짜리 동전 5개 ➡ 50원
1원짜리 동전 2개 ➡ 2원
852원

16 · 1. 세 자리 수 · 17

교과서 개념 잡기

 개념 ④ 각 자리의 숫자는 얼마를 나타내는지 알아보기

백의 자리	십의 자리	일의 자리
2	5	3

↓

2	0	0	2는 백의 자리 숫자이고, 200을 나타냅니다.
	5	0	5는 십의 자리 숫자이고, 50을 나타냅니다.
		3	3은 일의 자리 숫자이고, 3을 나타냅니다.

253=200+50+3

개념 ⑤ 뛰어서 세기

• 100씩 뛰어서 세기: 백의 자리 숫자가 1씩 커집니다.

100-200-300-400-500-600-700-800-900

• 10씩 뛰어서 세기: 십의 자리 숫자가 1씩 커집니다.

910-920-930-940-950-960-970-980-990

• 1씩 뛰어서 세기: 일의 자리 숫자가 1씩 커집니다.

991-992-993-994-995-996-997-998-999-?

999보다 1만큼 더 큰 수는 1000입니다.
1000은 천이라고 읽습니다. 1000

개념 O X

🔖 뛰어서 세었습니다. 닭이 있는 곳에 알맞은 수를 찾아 ○표 하세요.

555   (565)

265 365 465 665 765

18 · Start 2-1

정답과 풀이 p.4

1 수 모형이 나타내는 수를 보고 □ 안에 알맞은 수를 써넣으세요.

백 모형	십 모형	일 모형
100이 ⟦3⟧개	10이 ⟦8⟧개	1이 ⟦5⟧개

➡ 385에서 3은 ⟦300⟧을/를 나타내고

8은 ⟦80⟧을/를 나타내고

5는 ⟦5⟧을/를 나타냅니다.

✿ 385에서 3은 백의 자리 숫자, 8은 십의 자리 숫자, 5는 일의 자리 숫자입니다.

2 각 자리의 숫자는 얼마를 나타내는지 알아보려고 합니다. □ 안에 알맞은 수를 써넣으세요.

	백의 자리	십의 자리	일의 자리
자리의 숫자	7	9	4
나타내는 값	100이 7개 =⟦700⟧	10이 9개 =⟦90⟧	1이 4개 =⟦4⟧

➡ 794=⟦700⟧+⟦90⟧+⟦4⟧

3 뛰어서 세었습니다. 빈칸에 알맞은 수를 써넣으세요.

100씩 뛰어서 세기

207 307 407 507 607 707 807 907

✿ 백의 자리 숫자가 1씩 커집니다.

1. 세 자리 수 · 19

교과서 개념 잡기

개념 ⑥ 어느 수가 더 큰지 알아보기

• 수 모형으로 나타내어 비교하기

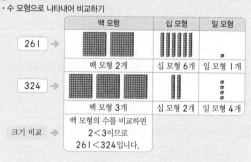

	백 모형	십 모형	일 모형
261 ➡			
	백 모형 2개	십 모형 6개	일 모형 1개
324 ➡			
	백 모형 3개	십 모형 2개	일 모형 4개
크기 비교 ➡	백 모형의 수를 비교하면 2<3이므로 261<324입니다.		

• 각 자리의 수를 이용해 비교하기

	백의 자리	십의 자리	일의 자리
261 ➡	2	6	1
237 ➡	2	3	7
크기 비교 ➡	백의 자리 숫자가 2로 같아요.	십의 자리 숫자를 비교하면 6>3이므로 261>237입니다.	

개념 O X

🔖 두 수의 크기 비교가 바른 곳에 ○표 하세요.

(234<265)   234>265

20 · Start 2-1

정답과 풀이 p.4

1 ○ 안에 > 또는 <를 알맞게 써넣으세요.

	백 모형	십 모형	일 모형
415 ➡			
362 ➡			

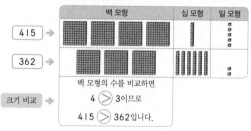

크기 비교 ➡

백 모형의 수를 비교하면
4 (>) 3이므로
415 (>) 362입니다.

✿ 415 > 362
   4>5

2 □ 안에 알맞은 수를 써넣고 ○ 안에 > 또는 <를 알맞게 써넣으세요.

	백의 자리	십의 자리	일의 자리
473 ➡	4	7	3
458 ➡	⟦4⟧	⟦5⟧	⟦8⟧
크기 비교 ➡	백의 자리 숫자가 ⟦4⟧(으)로 같습니다.	십의 자리 숫자를 비교하면 7 (>) ⟦5⟧이므로 473 (>) 458입니다.	

✿ 473 > 458
   7>5

3 두 수의 크기를 비교하여 ○ 안에 > 또는 <를 알맞게 써넣으세요.

(1) 561 (<) 564   (2) 708 (>) 705

✿ (1) 561 < 564   (2) 708 > 705
       1<4   8>5

1. 세 자리 수 · 21

교과서 개념 play
뛰어서 센 수 카드를 완성하여 크기 비교

규칙에 따라 뛰어서 센 수 카드를 모아 놓은 것입니다. 빈 곳에 알맞은 수 붙임딱지를 붙여 카드를 완성하고 분홍색 카드에 적힌 수의 크기를 비교해 보세요.

210	220	230
240	250	260
270	280	290

241	244	247
242	245	248
243	246	249

250 > 247

295	296	297
298	299	300
301	302	303

283	313	343
293	323	353
303	333	363

302 < 303

105	205	305
405	505	605
705	805	905

317	347	377
327	357	387
337	367	397

305 < 337

366	376	386
396	406	416
426	436	446

417	420	423
418	421	424
419	422	425

426 > 424

집중! 드릴 문제

정답과 풀이 p.5

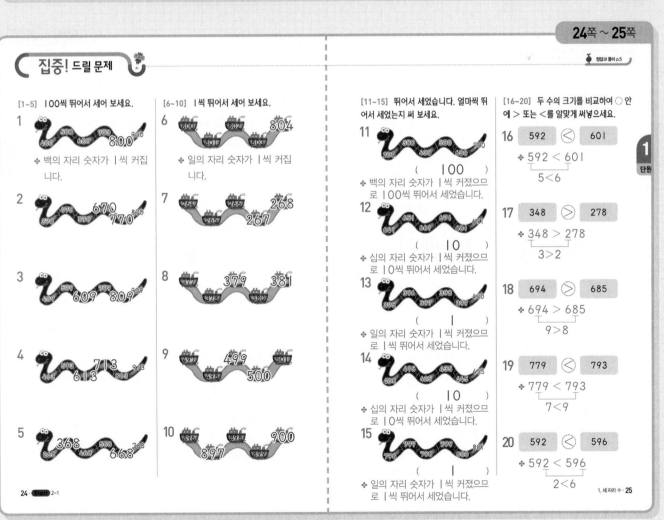

[1~5] 100씩 뛰어서 세어 보세요.

1. 400 500 600 700 800 900
❖ 백의 자리 숫자가 1씩 커집니다.

2. 370 470 570 670 770 870
3. 409 509 609 709 809 909
4. 413 513 613 713 813 913
5. 268 368 468 568 668 768

[6~10] 1씩 뛰어서 세어 보세요.

6. 800 801 802 803 804
❖ 일의 자리 숫자가 1씩 커집니다.

7. 264 265 266 267 268
8. 377 378 379 380 381
9. 497 498 499 500 501
10. 896 897 898 899 900

[11~15] 뛰어서 세었습니다. 얼마씩 뛰어서 세었는지 써 보세요.

11. 200 300 400 500 600 700
(100)
❖ 백의 자리 숫자가 1씩 커졌으므로 100씩 뛰어서 세었습니다.

12. 641 651 661 671 681
(10)
❖ 십의 자리 숫자가 1씩 커졌으므로 10씩 뛰어서 세었습니다.

13. 395 396 377 378 397 400
(1)
❖ 일의 자리 숫자가 1씩 커졌으므로 1씩 뛰어서 세었습니다.

14. 405 415 425 435 445 455
(10)
❖ 십의 자리 숫자가 1씩 커졌으므로 10씩 뛰어서 세었습니다.

15. 796 797 798 799 800 801
(1)
❖ 일의 자리 숫자가 1씩 커졌으므로 1씩 뛰어서 세었습니다.

[16~20] 두 수의 크기를 비교하여 ○ 안에 > 또는 <를 알맞게 써넣으세요.

16. 592 < 601
❖ 592 < 601
   5 < 6

17. 348 > 278
❖ 348 > 278
   3 > 2

18. 694 > 685
❖ 694 > 685
   9 > 8

19. 779 < 793
❖ 779 < 793
   7 < 9

20. 592 < 596
❖ 592 < 596
   2 < 6

교과서 개념 확인 문제

정답과 풀이 p.6

1 수를 보고 □ 안에 알맞은 수를 써넣으세요.

862

┌ 8은 800 을/를 나타냅니다.
├ 6은 60 을/를 나타냅니다.
└ 2는 2 을/를 나타냅니다.

2 수를 보고 빈칸에 알맞은 수를 써넣으세요.

379

	백의 자리	십의 자리	일의 자리
자리의 숫자	3	7	9
나타내는 값	300	70	9

3 백의 자리 숫자가 5인 수가 적힌 사과를 찾아 색칠해 보세요.

325 157 509

❖ 5□□인 수를 찾습니다.

4 백의 자리 숫자가 4, 십의 자리 숫자가 2, 일의 자리 숫자가 6인 세 자리 수를 써 보세요.

(426)

❖ ┌ 백의 자리 숫자가 4
  ├ 십의 자리 숫자가 2 ┐ 426
  └ 일의 자리 숫자가 6 ┘

26 · Start 2-1

5 보기 와 같이 나타내어 보세요.

보기
283=200+80+3

(1) 467= 400 + 60 + 7
(2) 805= 800 + 0 + 5

❖ (2) 805에서 백의 자리 숫자 8은 800을 나타내고, 십의 자리 숫자 0은 0을, 일의 자리 숫자 5는 5를 나타냅니다.
즉, 805=800+0+5로 나타낼 수 있습니다.

6 □ 안에 알맞은 수나 말을 써넣으세요.

999보다 1만큼 더 큰 수는 1000 이고 천 이라고 읽습니다.

7 밑줄 친 숫자가 나타내는 값을 써 보세요.

(1) 629 ➡ (20) (2) 333 ➡ (300)

❖ (1) 629에서 2는 십의 자리 숫자이고 20을 나타냅니다.
(2) 333에서 3은 백의 자리 숫자이고 300을 나타냅니다.

8 주어진 수만큼 뛰어서 세어 보세요.

1씩	215	216	217	218	219	220
10씩	623	633	643	653	663	673
100씩	409	509	609	709	809	909

❖ • 1씩 뛰어서 세면 일의 자리 숫자가 1씩 커집니다.
• 10씩 뛰어서 세면 십의 자리 숫자가 10씩 커집니다.
• 100씩 뛰어서 세면 백의 자리 숫자가 100씩 커집니다.

1. 세 자리 수 · 27

교과서 개념 확인 문제

정답과 풀이 p.6

9 □ 안에 알맞은 수를 써넣으세요.

684보다 ┌ 1 큰 수는 685 ┐
         ├ 10 큰 수는 694 ├ 입니다.
         └ 100 큰 수는 784 ┘

❖ 1 큰 수는 일의 자리 숫자가 1 커지고, 10 큰 수는 십의 자리 숫자가 1 커지고, 100 큰 수는 백의 자리 숫자가 1 커집니다.

10 수 모형을 보고 두 수의 크기를 비교하여 ○ 안에 > 또는 <를 알맞게 써넣으세요.

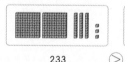

233 ⊝ 218

11 다음 > 또는 <를 사용하여 나타내어 보세요.

(1) 703은 698보다 큽니다. ➡ (703>698)

(2) 571은 812보다 작습니다. ➡ (571<812)

12 수의 크기를 비교하여 가장 큰 수를 찾아 써 보세요.

| 398 | 271 | 403 | 156 |

(403)

❖ 백의 자리 숫자를 비교하면 4>3>2>1이므로 403이 가장 큽니다.

28 · Start 2-1

13 두 수의 크기를 비교하여 ○ 안에 > 또는 <를 알맞게 써넣으세요.

(1) 537 > 사백칠십오   (2) 500 > 498
(3) 팔백이 < 820   (4) 316 < 324

❖ (1) 537 > 475 (2) 500 > 498 (3) 802 < 820 (4) 316 < 324
       5>4   5>4   0<2   1<2

14 수 카드를 한 번씩 사용하여 세 자리 수를 만들려고 합니다. 만들 수 있는 세 자리 수 중 가장 큰 수와 가장 작은 수를 각각 구해 보세요.

2 5 9

가장 큰 수 (952)
가장 작은 수 (259)

❖ • 9>5>2이므로 만들 수 있는 가장 큰 세 자리 수는 952입니다.
• 2<5<9이므로 만들 수 있는 가장 작은 세 자리 수는 259입니다.

15 378에서 100씩 3번 뛰어서 센 수는 얼마일까요?

(678)

❖ 378 - 478 - 578 - 678입니다.
        1번   2번   3번
따라서 378에서 100씩 3번 뛰어서 센 수는 678입니다.

16 어느 과일 가게에 귤이 375개, 사과가 402개 있습니다. 더 많이 있는 과일은 무엇일까요?

(사과)

❖ 375 < 402 ➡ 사과가 더 많이 있습니다.
    3<4

1. 세 자리 수 · 29

개념 확인평가   1. 세 자리 수

맞은 개수

1 □ 안에 알맞은 수를 써넣으세요.

90보다 **10** 큰 수

80보다 **20** 큰 수 는 100입니다.

2 □ 안에 알맞은 수를 써넣으세요.

100이 4개

10이 7개 인 수는 **476** 입니다.

1이 6개

❖ 100이 4개이면 400, 10이 7개이면 70, 1이 6개이면 6
이므로 476입니다.

3 수를 읽어 보세요.

(1)   718   (2)   509

(**칠백십팔**)   (**오백구**)

❖ (2) 십의 자리에 0이 있으므로 십의 자리는 읽지 않습니다.

4 수로 나타내어 보세요.

(1)   팔백사십   (2)   구백구십삼

(**840**)   (**993**)

❖ (1) 일의 자리에 0을 써 줍니다.

30 · Start 2-1

1
단원

5 10씩 뛰어서 세어 보세요.

655 | 665 | 675 | **685** | **695** | 705 | **715** | **725**

❖ 십의 자리 숫자가 1씩 커집니다.

6 1씩 뛰어서 세어 보세요.

787 | 788 | **789** | **790** | 791 | 792 | **793** | **794**

❖ 일의 자리 숫자가 1씩 커집니다.

7 십의 자리 숫자가 7인 수를 모두 찾아 써 보세요.

| 762 | 471 | 397 | 577 | 707 |

(**471, 577**)

❖ 십의 자리 숫자를 알아보면 762 ➡ 6, 471 ➡ 7,
397 ➡ 9, 577 ➡ 7, 707 ➡ 0입니다.

8 두 수의 크기를 비교하여 ○ 안에 > 또는 <를 알맞게 써넣으세요.

(1) 304 (**>**) 289

(2) 552 (**<**) 560

❖ (1) 304 > 289   (2) 552 < 560

       3 > 2   5 < 6

1. 세 자리 수 · 31

개념 확인평가   1. 세 자리 수

9 밑줄 친 숫자는 얼마를 나타내는지 써 보세요.

(1)   168   (2)   830

(**60**)   (**800**)

❖ (1) 십의 자리 숫자이므로 60을 나타냅니다.

(2) 백의 자리 숫자이므로 800을 나타냅니다.

10 상혁이는 색종이 250장과 도화지 246장을 가지고 있습니다. 색종이와 도화
지 중 더 많은 것은 무엇일까요?

(**색종이**)

❖ 250 > 246

     5 > 4

11 □ 안에 들어갈 수 있는 수를 모두 찾아 ○표 하세요.

79□ (<) 795

(①, ②, ③, ④, 5, 6, 7, 8, 9)

❖ 79□<795에서 백, 십의 자리 숫자가 같으므로 일의 자리
숫자를 비교합니다.

□<5이므로 □ 안에 들어갈 수 있는 수는 1, 2, 3, 4입니다.

12 □의 수는 백의 자리 숫자, ○의 수는 십의 자리 숫자, △의 수는 일의 자리 숫
자를 나타냅니다. 보기처럼 나타낼 때 436은 어떤 모양을 나타낸 수일까요?

보기

□□○○○○△ ➡ 241

□□□△△△△ ➡ 304

(□□□□○○○△△△△△△)

❖ □의 수는 백의 자리 숫자, ○의 수는 십의 자리 숫자, △의 수
는 일의 자리 숫자를 나타내므로 436은 □ 4개, ○ 3개,
△ 6개로 나타낼 수 있습니다.

32 · Start 2-1

[GO! 매쓰]
여기까지 1단원 내용입니다.
다음부터는 2단원 내용이
시작합니다.

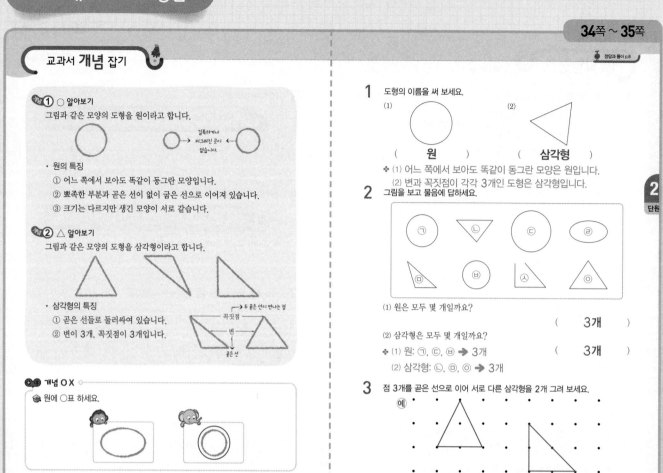

교과서 **개념 잡기**

정답과 풀이 p.8

개념① ○ 알아보기

그림과 같은 모양의 도형을 원이라고 합니다.

길쭉하거나
찌그러진 곳이
없습니다.

• 원의 특징
  ① 어느 쪽에서 보아도 똑같이 동그란 모양입니다.
  ② 뾰족한 부분과 곧은 선이 없이 굽은 선으로 이어져 있습니다.
  ③ 크기는 다르지만 생긴 모양이 서로 같습니다.

개념② △ 알아보기

그림과 같은 모양의 도형을 삼각형이라고 합니다.

• 삼각형의 특징
  ← 두 곧은 선이 만나는 점
  꼭짓점
  변
  곧은 선
  ① 곧은 선들로 둘러싸여 있습니다.
  ② 변이 3개, 꼭짓점이 3개입니다.

개념 O X

🔶 원에 ○표 하세요.

1 도형의 이름을 써 보세요.
(1) (**원**) (2) (**삼각형**)

❖ (1) 어느 쪽에서 보아도 똑같이 동그란 모양은 원입니다.
  (2) 변과 꼭짓점이 각각 3개인 도형은 삼각형입니다.

2 그림을 보고 물음에 답하세요.

ㄱ ㄴ ㄷ ㄹ
ㅁ ㅂ ㅅ ㅇ

(1) 원은 모두 몇 개일까요?
(**3개**)

(2) 삼각형은 모두 몇 개일까요?
(**3개**)

❖ (1) 원: ㉠, ㉢, ㉢ ➡ 3개
  (2) 삼각형: ㉡, ㉣, ㉧ ➡ 3개

3 점 3개를 곧은 선으로 이어 서로 다른 삼각형을 2개 그려 보세요.
예

❖ 3개의 점을 정한 후 곧은 선으로 이어 모양이 서로 다른 삼각형을 그립니다.

2. 여러 가지 도형 · 35

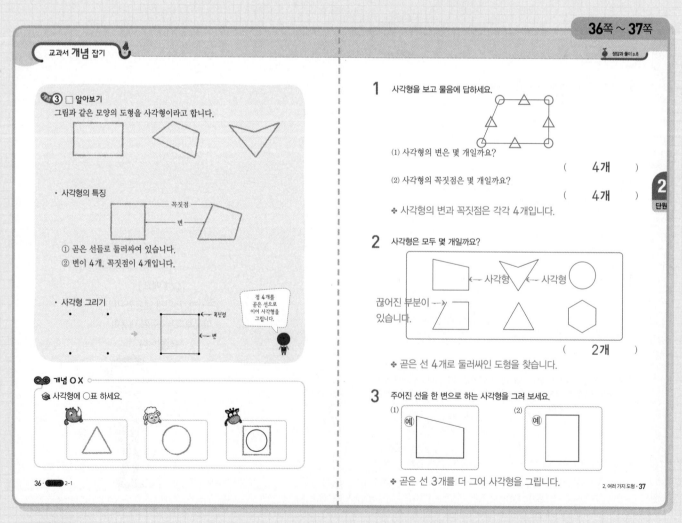

교과서 **개념 잡기**

정답과 풀이 p.8

개념③ □ 알아보기

그림과 같은 모양의 도형을 사각형이라고 합니다.

• 사각형의 특징
  꼭짓점
  변
  ① 곧은 선들로 둘러싸여 있습니다.
  ② 변이 4개, 꼭짓점이 4개입니다.

• 사각형 그리기
  꼭짓점
  변
  점 4개를 곧은 선으로 이어 사각형을 그립니다.

개념 O X

🔶 사각형에 ○표 하세요.

1 사각형을 보고 물음에 답하세요.

(1) 사각형의 변은 몇 개일까요?
(**4개**)

(2) 사각형의 꼭짓점은 몇 개일까요?
(**4개**)

❖ 사각형의 변과 꼭짓점은 각각 4개입니다.

2 사각형은 모두 몇 개일까요?

← 사각형 ← 사각형
끊어진 부분이 →
있습니다.

(**2개**)

❖ 곧은 선 4개로 둘러싸인 도형을 찾습니다.

3 주어진 선을 한 변으로 하는 사각형을 그려 보세요.
(1) 예 (2) 예

❖ 곧은 선 3개를 더 그어 사각형을 그립니다.

2. 여러 가지 도형 · 37

교과서 개념 play ▶ 물건을 구분하고 특징 찾기

집 안에 있는 물건을 모양에 따라 구분하여 정리하려고 합니다. 모양에 따라 알맞게 물건 붙임딱지를 붙이고 각 모양의 특징을 찾아 모두 이어 보세요.

어느 쪽에서 보아도 똑같이 동그란 모양입니다.

곧은 선들로 둘러싸여 있습니다.

뾰족한 부분이 없습니다.

꼭짓점이 4개입니다.

변이 3개입니다.

크기는 모두 다르지만 생긴 모양은 모두 같습니다.

변이 4개입니다.

굽은 선이 있습니다.

꼭짓점이 3개입니다.

집중! 드릴 문제

정답과 풀이 p.9

[1~4] 원에 모두 ○표 하세요.

[5~8] 삼각형에 모두 △표 하세요.

[9~12] 사각형에 모두 □표 하세요.

[13~15] 꼭짓점에 모두 ○표 하세요.

[16~18] 변에 모두 ○표 하세요.

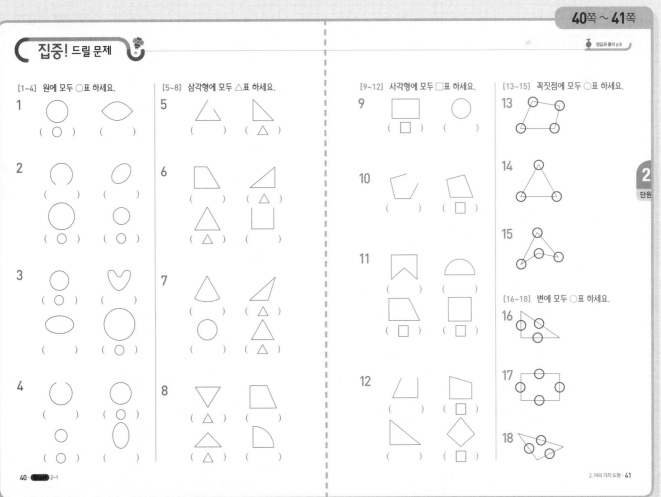

GO! 매쓰 Start 정답

교과서 개념 확인 문제

정답과 풀이 p.10

1 원을 찾아 기호를 써 보세요.

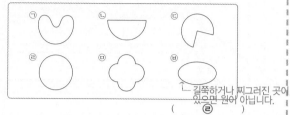

└ 길쭉하거나 찌그러진 곳이
있으면 원이 아닙니다.

(㉣)

✚ 어느 쪽에서 보아도 똑같이 동그란 모양의 도형을 찾습니다.

2 원에 대하여 바르게 말한 사람의 이름을 써 보세요.

> 명철: 뾰족한 부분이 있어.
> 가은: 곧은 선으로 둘러싸여 있어.
> 지영: 모든 원은 크기는 다르고 모양은 같아.
> 진주: 둥근 부분과 뾰족한 부분이 있어.

(지영)

✚ • 원은 뾰족한 부분과 곧은 선이 없습니다.
  • 모든 원은 크기는 다르고 모양은 같습니다.

3 □ 안에 알맞은 말을 써넣으세요.

변
꼭짓점

✚ 변: 곧은 선
꼭짓점: 두 곧은 선이 만나는 점

42 · Start 2-1

4 점을 모두 곧은 선으로 이어서 만들어지는 도형의 이름을 써 보세요.

(삼각형)

✚ 점을 모두 곧은 선으로 이으면 변이 3개인 삼각형이 만들어집니다.

5 삼각형을 보고 □ 안에 알맞은 수를 써넣으세요.

(1) 삼각형은 변이 3 개입니다.

(2) 삼각형은 꼭짓점이 3 개입니다.

6 삼각형에 대한 설명입니다. 맞으면 ○표, 틀리면 ×표 하세요.

(1) 변이 4개 있습니다. ……………… (×)

(2) 꼭짓점이 3개 있습니다. ……………… (○)

(3) 굽은 선으로 둘러싸여 있습니다. ……… (×)

✚ (1) 삼각형은 변이 3개입니다.
  (3) 삼각형은 곧은 선으로 둘러싸여 있습니다.

2. 여러 가지 도형 · 43

교과서 개념 확인 문제

정답과 풀이 p.10

7 그림과 같은 도형의 이름을 써 보세요.

(사각형)

✚ 곧은 선 4개로 둘러싸인 도형이므로 사각형입니다.

8 왼쪽과 같은 사각형을 오른쪽에 그려 보세요.

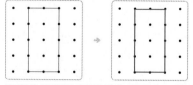

✚ 왼쪽 사각형의 꼭짓점의 위치를 찾아 오른쪽에 표시한 후 곧은 선으로 이어 그립니다.

9 삼각형은 모두 몇 개일까요?

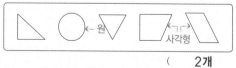

(2개)

✚ 삼각형은 변과 꼭짓점이 각각 3개입니다.

44 · Start 2-1

10 원은 모두 몇 개일까요?

(5개)

✚ 원은 모두 5개입니다.

11 삼각형의 변의 수와 사각형의 꼭짓점의 수의 합은 몇 개일까요?

(7개)

✚ 삼각형의 변은 3개, 사각형의 꼭짓점은 4개입니다.
➡ 3+4=7(개)

12 다음 도형을 점선을 따라 자르면 어떤 도형이 몇 개 생길까요?

(사각형), (4개)

✚ 변이 4개인 도형인 사각형이 4개 생깁니다.

13 삼각형과 사각형의 공통점을 모두 찾아 기호를 써 보세요.

> ㉠ 변과 꼭짓점이 있습니다.
> ㉡ 굽은 선이 있습니다.
> ㉢ 변과 꼭짓점이 각각 3개씩 있습니다.
> ㉣ 곧은 선들로 둘러싸여 있습니다.

(㉠, ㉣)

✚ ㉡ 삼각형과 사각형은 굽은 선이 없습니다.
  ㉢ 삼각형은 변과 꼭짓점이 각각 3개씩, 사각형은 변과 꼭짓점이 각각 4개씩 있습니다.

2. 여러 가지 도형 · 45

교과서 개념 잡기

개념 ④ 칠교판으로 모양 만들기

- 칠교판 조각 수: 7개
  삼각형 조각: ①, ②, ③, ⑤, ⑦ ➡ 5개
  사각형 조각: ④, ⑥ ➡ 2개

개념 ⑤ ⬠과 ⬡ 알아보기

그림과 같은 모양의 도형을 오각형이라고 합니다.
→ 변과 꼭짓점이 각각 5개입니다.

변 · 꼭짓점

그림과 같은 모양의 도형을 육각형이라고 합니다.
→ 변과 꼭짓점이 각각 6개입니다.

변 · 꼭짓점

■각형에서 ■는 변과 꼭짓점의 수를 나타냅니다.

개념 O X

☞ 오각형에 ○표 하세요.

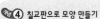

46 · 2-1

---

1 칠교판을 보고 물음에 답하세요.

(1) 삼각형 조각을 모두 찾아 기호를 써 보세요.
(㉠, ㉡, ㉢, ㉣, ㉥)

(2) 칠교판 조각 ㉠과 ㉡을 모두 이용하여 사각형을 만들어 보세요.

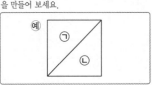
예

2 도형을 보고 □ 안에 알맞은 수나 말을 써넣으세요.

- 변: 5 개
- 꼭짓점: 5 개
- 도형의 이름: **오각형**

✚ 변과 꼭짓점이 각각 5개인 도형을 오각형이라고 합니다.

3 점 6개를 곧은 선으로 이어 육각형을 완성해 보세요.

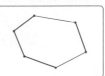

✚ 곧은 선 4개를 더 그어 육각형을 완성해 봅니다.

2. 여러 가지 도형 · 47

교과서 개념 잡기

개념 ⑥ 똑같은 모양으로 쌓기

- 쌓기나무로 쌓은 모양을 보고 똑같이 쌓기

→ 빨간색 쌓기나무의 오른쪽에 쌓기나무를 나란히 2개 놓습니다.
→ 빨간색 쌓기나무의 위에 쌓기나무를 1개 놓습니다.

→ 똑같은 모양을 만들기 위해 필요한 쌓기나무는 4개입니다.

똑같은 모양으로 쌓으려면 쌓기나무의 전체적인 모양, 쌓기나무의 수, 쌓기나무의 색, 쌓기나무를 놓는 위치나 방향, 쌓기나무의 층수 등을 생각해야 합니다.

개념 ⑦ 여러 가지 모양으로 쌓기

- 모양 만들고 만든 모양 설명하기

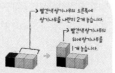
오른쪽
앞

→ 1층에 쌓기나무 3개가 옆으로 나란히 있고, 왼쪽 쌓기나무 위에 쌓기나무 2개가 있습니다.

- 쌓기나무 5개로 다양한 모양 만들기

개념 O X

☞ 쌓기나무 4개로 쌓은 모양에 ○표 하세요.

48 · 2-1

---

1 보기 와 똑같이 쌓은 모양의 기호를 써 보세요.

보기 · ㉠ · ㉡

(㉡)

✚ 1층에 3개, 2층에 1개를 쌓은 모양을 찾으면 ㉡입니다.

2 똑같은 모양으로 쌓으려면 쌓기나무가 몇 개 필요할까요?

(1) (3개) (2) (5개)

✚ (1) 1층: 1개, 2층: 1개, 3층: 1개 ➡ 1+1+1=3(개)
(2) 1층: 4개, 2층: 1개 ➡ 4+1=5(개)

3 초록색 쌓기나무의 왼쪽에 있는 쌓기나무에 ○표 하세요.

오른쪽
앞

✚ 쌓은 모양에서 초록색 쌓기나무의 왼쪽을 찾습니다.

4 쌓기나무 5개로 1층에 4개, 2층에 1개를 쌓은 모양에 ○표 하세요.

( ) (○)

✚ 왼쪽 모양은 1층에 5개를 쌓은 모양입니다.

2. 여러 가지 도형 · 49

정답과 풀이 · **11**

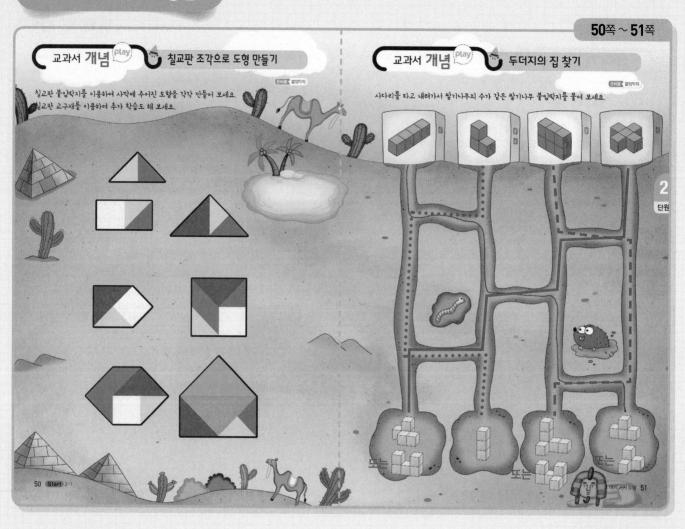

교과서 **개념** play 칠교판 조각으로 도형 만들기

칠교판 붙임딱지를 이용하여 사막에 주어진 도형을 각각 만들어 보세요.
칠교판 교구재를 이용하여 추가 학습도 해 보세요.

교과서 **개념** play 두더지의 집 찾기

사다리를 타고 내려가서 쌓기나무의 수가 같은 쌓기나무 붙임딱지를 붙여 보세요.

50 Start 2-1

2. 여러 가지 도형 · 51

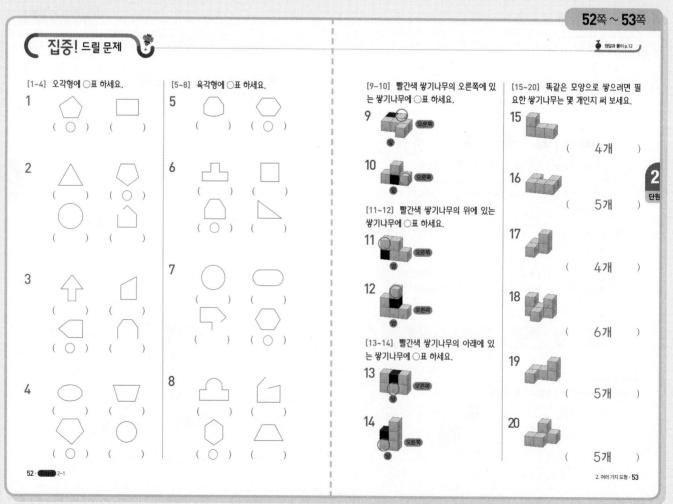

집중! 드릴 문제

정답과 풀이 p.12

[1~4] 오각형에 ○표 하세요.

1
(○) ( )

2
(○) ( )
( ) ( )

3
( ) ( )
(○) ( )

4
( ) ( )
(○) ( )

[5~8] 육각형에 ○표 하세요.

5
( ) (○)

6
( ) ( )
( ) ( )

7
( ) ( )
( ) (○)

8
( ) ( )
(○) ( )

[9~10] 빨간색 쌓기나무의 오른쪽에 있는 쌓기나무에 ○표 하세요.

9
오른쪽

10
오른쪽

[11~12] 빨간색 쌓기나무의 위에 있는 쌓기나무에 ○표 하세요.

11
오른쪽

12
오른쪽

[13~14] 빨간색 쌓기나무의 아래에 있는 쌓기나무에 ○표 하세요.

13
오른쪽

14
오른쪽

[15~20] 똑같은 모양으로 쌓으려면 필요한 쌓기나무는 몇 개인지 써 보세요.

15
(4개)

16
(5개)

17
(4개)

18
(6개)

19
(5개)

20
(5개)

52 · Start 2-1

2. 여러 가지 도형 · 53

교과서 **개념 확인 문제**

정답과 풀이 p.13

1 칠교판을 보고 □ 안에 알맞은 수를 써넣으세요.

칠교판에는 삼각형 모양 조각이 **5** 개,
사각형 모양 조각이 **2** 개 있습니다.

✤ 칠교판에는 삼각형 모양 조각이 5개, 사각형 모양 조각이 2개 있습니다.

2 주어진 세 조각을 모두 이용하여 사각형을 만들어 보세요.

(1)  →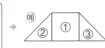

(2) 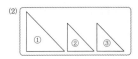 →

3 도형을 보고 표의 빈칸에 알맞은 수나 말을 써넣으세요.

도형	변의 수	꼭짓점의 수	도형의 이름
⬠	5	5	**오각형**
⬡	6	6	**육각형**

✤ • 오각형은 변이 5개, 꼭짓점이 5개입니다.
  • 육각형은 변이 6개, 꼭짓점이 6개입니다.

4 오각형을 모두 찾아 기호를 써 보세요.

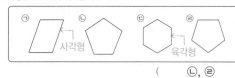

(**ⓒ, ⓔ**)

✤ 변과 꼭짓점이 각각 5개인 도형을 모두 찾습니다.

5 서로 다른 육각형을 2개 완성해 보세요.

⟨예⟩   ⟨예⟩

✤ 점과 점 사이를 곧은 선으로 이어 육각형을 그립니다.

6 왼쪽 모양과 똑같은 모양으로 쌓은 것을 찾아 ○표 하세요.

( ) (○) ( )

✤ 쌓기나무의 전체적인 모양, 쌓기나무의 수, 쌓기나무를 놓은 위치나 방향, 쌓기나무의 층수를 생각하며 찾아봅니다.

교과서 **개념 확인 문제**

정답과 풀이 p.13

7 □ 안에 알맞은 수를 써넣으세요.

(1) 오각형은 삼각형보다 변이 **2** 개 더 많습니다.

(2) 육각형은 사각형보다 꼭짓점이 **2** 개 더 많습니다.

✤(1) 오각형은 변이 5개이고, 삼각형은 변이 3개이므로 오각형은 삼각형보다 변이 5－3＝2(개) 더 많습니다.
 (2) 육각형은 꼭짓점이 6개이고, 사각형은 꼭짓점이 4개이므로 육각형은 사각형보다 꼭짓점이 6－4＝2(개) 더 많습니다.

8 다음과 같은 모양으로 쌓으려면 쌓기나무가 각각 몇 개 필요할까요?

(1) (**4개**) (2) (**6개**)

(3) (**5개**) (4) (**5개**)

9 빨간색 쌓기나무의 위에 있는 쌓기나무를 찾아 ○표 하세요.

(1)  (2)

✤ 각각 쌓은 모양에서 빨간색 쌓기나무의 위를 찾습니다.

10 쌓기나무 1개를 옮겨 왼쪽 모양을 오른쪽 모양과 똑같이 만들려고 합니다. 옮길 수 있는 쌓기나무를 모두 찾아 기호를 써 보세요.

(**ⓛ, ⓗ**)

✤ 오른쪽과 똑같은 모양을 만들기 위해서는 ⓛ을 ⓗ의 위로 옮기거나 ⓗ을 ⓔ의 위로 옮겨야 합니다.

11 오른쪽과 똑같은 모양으로 쌓으려면 쌓기나무가 몇 개 필요한지 알아보려고 합니다. □ 안에 알맞은 수를 써넣으세요.

(1) 쌓기나무가 1층에는 **4** 개, 2층에는 **2** 개, 3층에는 **1** 개 있습니다.

(2) 쌓기나무가 **7** 개 필요합니다.

✤ (2) 4＋2＋1＝7(개)

12 쌓은 모양을 바르게 나타내도록 보기 에서 알맞은 말이나 수를 골라 □ 안에 써넣으세요.

보기
| 위 | 앞 | 뒤 | 1 | 2 | 3 |

1층에 쌓기나무 3개가 옆으로 나란히 있고, 오른쪽 쌓기나무의 **위** 에 쌓기나무 **2** 개가 있습니다.

✤ 1층에 쌓기나무 3개를 옆으로 나란히 놓고 오른쪽 쌓기나무의 위에 쌓기나무를 2개 놓아 만든 모양입니다.

개념 확인평가
2. 여러 가지 도형

맞은 개수

정답과 풀이 p.14

1 도형의 이름을 써 보세요.

(원)

✤ 어느 쪽에서 보아도 똑같이 동그란 모양은 원입니다.

2 삼각형을 모두 찾아 색칠해 보세요.

✤ 변과 꼭짓점이 각각 3개인 도형을 찾아 색칠합니다.

3 육각형을 1개 그려 보세요.

예

✤ 6개의 점을 곧은 선으로 이어 육각형을 그립니다.

4 빈칸에 알맞은 수를 써넣으세요.

도형	변의 수	꼭짓점의 수
사각형	4	4
오각형	5	5
육각형	6	6

5 왼쪽 모양과 똑같이 쌓은 모양을 찾아 기호를 써 보세요.

(㉡)

✤ 1층에 쌓기나무 5개를 놓아 만든 모양을 찾으면 ㉡입니다.
참고 쌓기나무의 모양, 위치, 수 등을 살펴봅니다.

6 빨간색 쌓기나무의 왼쪽에 있는 쌓기나무에 ○표 하세요.

오른쪽

✤ 쌓은 모양에서 빨간색 쌓기나무의 왼쪽을 찾습니다.

7 주어진 선을 두 변으로 하는 오각형을 그리려고 합니다. 곧은 선을 몇 개 더 그려야 할까요?

예

(3개)

✤ 오각형은 변이 5개이므로 곧은 선을 3개 더 그려야 합니다.

8 설명에 맞게 쌓은 쌓기나무 모양의 기호를 써 보세요.

설명
• 쌓기나무 4개로 쌓았습니다.
• 1층에 3개, 2층에 1개를 놓았습니다.

(㉡)

✤ 1층에 3개, 2층에 1개를 놓은 모양은 ㉡입니다.

2단원

2. 여러 가지 도형 · 59

58 · Start 2-1

60쪽

개념 확인평가
2. 여러 가지 도형

정답과 풀이 p.14

9 쌓기나무 5개로 쌓은 모양은 어느 것일까요? ·········· (④)

① ② ③ ④

✤ ① 3개 ② 4개 ③ 4개

[10~11] 오른쪽 칠교판을 보고 물음에 답하세요.

10 칠교판 조각에서 삼각형과 사각형 조각을 각각 찾아 번호를 써넣고 삼각형 조각은 사각형 조각보다 몇 개 더 많은지 구해 보세요.

삼각형 조각	사각형 조각
①, ②, ③, ⑤, ⑦	④, ⑥

(3개)

✤ 삼각형 조각: 5개, 사각형 조각: 2개
➔ 5-2=3(개)

11 칠교판 조각을 한 번씩 모두 이용하여 다음 모양을 만들어 보세요.

예
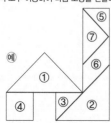

60 · Start 2-1

[GO! 매쓰]
여기까지 2단원 내용입니다.
다음부터는 3단원 내용이
시작합니다.

교과서 개념 잡기

개념① 덧셈하기

- 일의 자리에서 받아올림이 있는 (두 자리 수)+(한 자리 수)

$$
\begin{array}{r} 1\ 6 \\ +\ \ \ 5 \\ \hline \end{array}
\rightarrow
\begin{array}{r} \overset{1}{}\ \ \\ 1\ 6 \\ +\ \ \ 5 \\ \hline 1 \end{array}
\rightarrow
\begin{array}{r} \overset{1}{}\ \ \\ 1\ 6 \\ +\ \ \ 5 \\ \hline 2\ 1 \end{array}
$$

- 일의 자리에서 받아올림이 있는 (두 자리 수)+(두 자리 수)

$$
\begin{array}{r} 2\ 7 \\ +\ 1\ 4 \\ \hline \end{array}
\rightarrow
\begin{array}{r} \overset{1}{}\ \ \\ 2\ 7 \\ +\ 1\ 4 \\ \hline 1 \end{array}
\rightarrow
\begin{array}{r} \overset{1}{}\ \ \\ 2\ 7 \\ +\ 1\ 4 \\ \hline 4\ 1 \end{array}
$$

- 십의 자리에서 받아올림이 있는 (두 자리 수)+(두 자리 수)

$$
\begin{array}{r} 5\ 2 \\ +\ 6\ 1 \\ \hline \end{array}
\rightarrow
\begin{array}{r} 5\ 2 \\ +\ 6\ 1 \\ \hline 3 \end{array}
\rightarrow
\begin{array}{r} \overset{1}{}\ \ \\ 5\ 2 \\ +\ 6\ 1 \\ \hline 1\ 1\ 3 \end{array}
$$

개념② 여러 가지 방법으로 덧셈하기

두 수를 더하는 방법은 여러 가지입니다. 어떤 방법을 생각하고 있나요?

- 28+15를 여러 가지 방법으로 계산하기

방법1
$$28+15=28+10+5$$
$$=38+5$$
$$=43$$

방법2
$$28+15=28+2+13$$
$$=30+13$$
$$=43$$

개념 O X

두 수의 덧셈을 바르게 계산한 곳에 ○표 하세요.

28+35=53	28+35=63 ◯

---

1 수 모형을 보고 26+7을 계산하려고 합니다. □ 안에 알맞은 수를 써넣으세요.

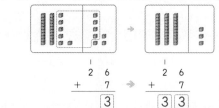

$$
\begin{array}{r} \overset{1}{}\ \ \\ 2\ 6 \\ +\ \ \ 7 \\ \hline \boxed{3} \end{array}
\rightarrow
\begin{array}{r} \overset{1}{}\ \ \\ 2\ 6 \\ +\ \ \ 7 \\ \hline \boxed{3}\ \boxed{3} \end{array}
$$

2 수 모형을 보고 □ 안에 알맞은 수를 써넣으세요.

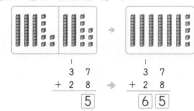

$$
\begin{array}{r} \overset{1}{}\ \ \\ 3\ 7 \\ +\ 2\ 8 \\ \hline \boxed{5} \end{array}
\rightarrow
\begin{array}{r} \overset{1}{}\ \ \\ 3\ 7 \\ +\ 2\ 8 \\ \hline \boxed{6}\ \boxed{5} \end{array}
$$

3 □ 안에 알맞은 수를 써넣으세요.

받아올림에 주의하여 계산합니다.

(1)
$$
\begin{array}{r} \overset{1}{}\ \ \\ 6\ 3 \\ +\ 7\ 5 \\ \hline \boxed{1}\ \boxed{3}\ \boxed{8} \end{array}
$$

(2)
$$
\begin{array}{r} \overset{1}{}\overset{1}{}\ \ \\ 8\ 5 \\ +\ 7\ 8 \\ \hline \boxed{1}\ \boxed{6}\ \boxed{3} \end{array}
$$

교과서 개념 잡기

개념③ 뺄셈하기

- 받아내림이 있는 (두 자리 수)−(한 자리 수)

$$
\begin{array}{r} 2\ 3 \\ -\ \ \ 7 \\ \hline \end{array}
\rightarrow
\begin{array}{r} \overset{1}{2}\ \overset{10}{3} \\ -\ \ \ 7 \\ \hline \end{array}
\rightarrow
\begin{array}{r} \overset{1}{2}\ \overset{10}{3} \\ -\ \ \ 7 \\ \hline 6 \end{array}
\rightarrow
\begin{array}{r} \overset{1}{2}\ \overset{10}{3} \\ -\ \ \ 7 \\ \hline 1\ 6 \end{array}
$$

- 받아내림이 있는 (몇십)−(몇십몇)

$$
\begin{array}{r} 3\ 0 \\ -\ 1\ 6 \\ \hline \end{array}
\rightarrow
\begin{array}{r} \overset{2}{3}\ \overset{10}{0} \\ -\ 1\ 6 \\ \hline \end{array}
\rightarrow
\begin{array}{r} \overset{2}{3}\ \overset{10}{0} \\ -\ 1\ 6 \\ \hline 4 \end{array}
\rightarrow
\begin{array}{r} \overset{2}{3}\ \overset{10}{0} \\ -\ 1\ 6 \\ \hline 1\ 4 \end{array}
$$

- 받아내림이 있는 (두 자리 수)−(두 자리 수)

$$
\begin{array}{r} 4\ 2 \\ -\ 2\ 5 \\ \hline \end{array}
\rightarrow
\begin{array}{r} \overset{3}{4}\ \overset{10}{2} \\ -\ 2\ 5 \\ \hline \end{array}
\rightarrow
\begin{array}{r} \overset{3}{4}\ \overset{10}{2} \\ -\ 2\ 5 \\ \hline 7 \end{array}
\rightarrow
\begin{array}{r} \overset{3}{4}\ \overset{10}{2} \\ -\ 2\ 5 \\ \hline 1\ 7 \end{array}
$$

개념④ 여러 가지 방법으로 뺄셈하기

두 수를 빼는 방법은 여러 가지입니다. 어떤 방법을 생각하고 있나요?

- 24−17을 여러 가지 방법으로 계산하기

방법1
$$24-17=24-10-7$$
$$=14-7$$
$$=7$$

방법2
$$24-17=20-17+4$$
$$=3+4$$
$$=7$$

개념 O X

두 수의 뺄셈을 바르게 계산한 곳에 ○표 하세요.

31−6=25 ◯	31−6=15

---

1 수 모형을 보고 34−8을 계산하려고 합니다. □ 안에 알맞은 수를 써넣으세요.

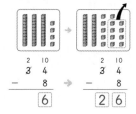

$$
\begin{array}{r} \overset{2}{3}\ \overset{10}{4} \\ -\ \ \ 8 \\ \hline \boxed{6} \end{array}
\rightarrow
\begin{array}{r} \overset{2}{3}\ \overset{10}{4} \\ -\ \ \ 8 \\ \hline \boxed{2}\ \boxed{6} \end{array}
$$

2 수 모형을 보고 □ 안에 알맞은 수를 써넣으세요.

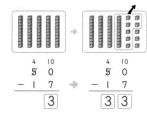

$$
\begin{array}{r} \overset{4}{5}\ \overset{10}{0} \\ -\ 1\ 7 \\ \hline \boxed{3} \end{array}
\rightarrow
\begin{array}{r} \overset{4}{5}\ \overset{10}{0} \\ -\ 1\ 7 \\ \hline \boxed{3}\ \boxed{3} \end{array}
$$

3 □ 안에 알맞은 수를 써넣으세요.

받아내림에 주의하여 계산합니다.

(1)
$$
\begin{array}{r} \overset{3}{4}\ \overset{10}{1} \\ -\ 1\ 4 \\ \hline \boxed{2}\ \boxed{7} \end{array}
$$

(2)
$$
\begin{array}{r} \overset{7}{8}\ \overset{10}{2} \\ -\ 4\ 7 \\ \hline \boxed{3}\ \boxed{5} \end{array}
$$

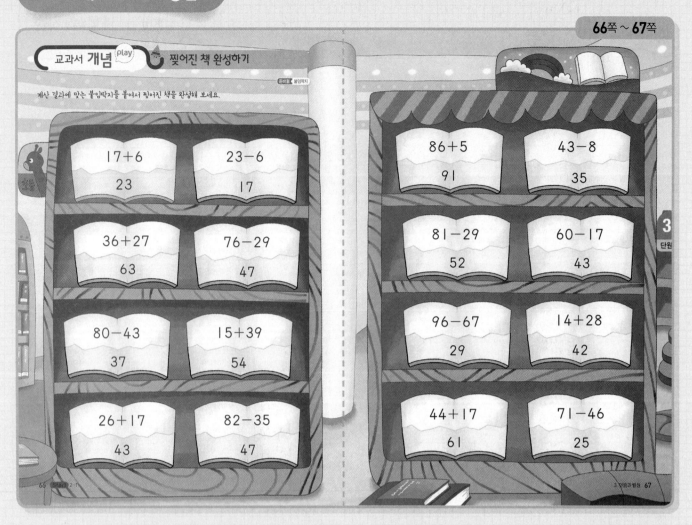

교과서 **개념** play　찢어진 책 완성하기

계산 결과에 맞는 붙임딱지를 붙여서 찢어진 책을 완성해 보세요.

17+6 → 23	23−6 → 17
36+27 → 63	76−29 → 47
80−43 → 37	15+39 → 54
26+17 → 43	82−35 → 47

86+5 → 91	43−8 → 35
81−29 → 52	60−17 → 43
96−67 → 29	14+28 → 42
44+17 → 61	71−46 → 25

집중! 드릴 문제

정답과 풀이 p.16

[1~5] 덧셈을 해 보세요.

1 (1) 26 + 5 = 31　(2) 8 + 53 = 61

❖ 일의 자리 수끼리의 합이 10이거나 10보다 크면 십의 자리로 받아올림 합니다.

2 (1) 37 + 6 = 43　(2) 7 + 74 = 81

3 (1) 48 + 24 = 72　(2) 19 + 62 = 81

4 (1) 37 + 43 = 80　(2) 52 + 18 = 70

5 (1) 39 + 46 = 85　(2) 28 + 67 = 95

[6~10] 덧셈을 해 보세요.

6 (1) 43 + 89 = 132　(2) 67 + 75 = 142

7 (1) 64 + 96 = 160　(2) 58 + 83 = 141

8 (1) 79 + 55 = 134　(2) 86 + 67 = 153

9 (1) 78 + 87 = 165　(2) 87 + 89 = 176

10 (1) 89 + 98 = 187　(2) 99 + 99 = 198

[11~15] 뺄셈을 해 보세요.

11 (1) 41 − 6 = 35　(2) 65 − 7 = 58

❖ 일의 자리 수끼리 뺄 수 없으면 십의 자리에서 받아내림하여 계산합니다.

12 (1) 53 − 8 = 45　(2) 87 − 9 = 78

13 (1) 40 − 13 = 27　(2) 50 − 21 = 29

14 (1) 70 − 36 = 34　(2) 90 − 47 = 43

15 (1) 60 − 29 = 31　(2) 80 − 18 = 62

[16~20] 뺄셈을 해 보세요.

16 (1) 53 − 15 = 38　(2) 62 − 27 = 35

❖ 일의 자리 수끼리 뺄 수 없으면 십의 자리에서 받아내림하여 계산합니다.

17 (1) 75 − 38 = 37　(2) 84 − 46 = 38

18 (1) 91 − 59 = 32　(2) 86 − 48 = 38

19 (1) 87 − 68 = 19　(2) 94 − 19 = 75

20 (1) 63 − 37 = 26　(2) 95 − 58 = 37

교과서 **개념 확인 문제**

정답과 풀이 p.17

1 수 모형을 보고 □ 안에 알맞은 수를 써넣으세요.

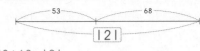

$$37+28=\boxed{65}$$

✜ 37+28은 십 모형 6개, 일 모형 5개이므로 65입니다.
➔ 37+28=65

2 덧셈을 해 보세요.

(1)
```
  6 2
+   8
─────
  7 0
```

(2)
```
    3 5
+     6
─────
    4 1
```

(3) 29+2=$\boxed{31}$

(4) 83+9=$\boxed{92}$

✜ 일의 자리 수끼리의 합이 10이거나 10보다 크면 십의 자리로 받아올림합니다.

3 두 수의 합을 빈 곳에 써넣으세요.

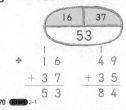

✜
```
  1
  1 6
+ 3 7
─────
  5 3
```
```
  1
  4 9
+ 3 5
─────
  8 4
```

4 □ 안에 알맞은 수를 써넣으세요.

53   68

$\boxed{121}$

✜ 53+68=121

5 계산 결과를 비교하여 ○ 안에 >, =, <를 알맞게 써넣으세요.

58+7 $\bigcirc\!\!>$ 55+9

✜ 58+7=65, 55+9=64 ➔ 65>64

6 26+37을 두 가지 방법으로 계산하려고 합니다. □ 안에 알맞은 수를 써넣으세요.

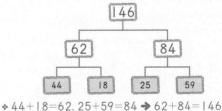

방법1 37을 4+33으로 생각하기

26+37 ➔ 26+$\boxed{4}$+33=$\boxed{30}$+33=$\boxed{63}$

$\boxed{4}$ 33

방법2 37을 40-3으로 생각하기

37=40-$\boxed{3}$ ➔ 26+40-$\boxed{3}$=$\boxed{66}$-$\boxed{3}$=$\boxed{63}$

7 가은이는 윗몸 일으키기를 하였습니다. 어제는 36번 했고 오늘은 54번 했다면 가은이가 어제와 오늘 한 윗몸 일으키기는 모두 몇 번일까요?

(90번)

✜ (어제와 오늘 한 윗몸일으키기 횟수)=36+54=90(번)

3
단원

교과서 **개념 확인 문제**

정답과 풀이 p.17

8 뺄셈을 해 보세요.

(1)
```
  2 10
  3 1
-   8
─────
  2 3
```

(2)
```
  6 10
  7 0
-   4
─────
  6 6
```

(3) 52-8=$\boxed{44}$

(4) 25-6=$\boxed{19}$

✜ 일의 자리 수끼리 뺄 수 없으면 십의 자리에서 10을 받아내림합니다.

9 계산이 잘못된 부분을 찾아 바르게 다시 계산해 보세요.

```
  6 3
- 1 7
─────
  5 6
```
➔
```
  5 10
  6 3
- 1 7
─────
  4 6
```

✜ 십의 자리 계산에서 받아내림한 수를 빠뜨리고 계산했습니다.

10 62-25를 두 가지 방법으로 계산하려고 합니다. □ 안에 알맞은 수를 써넣으세요.

방법1 25를 22+3으로 생각하기

62-25=62-22-$\boxed{3}$
=$\boxed{40}$-$\boxed{3}$
=$\boxed{37}$

방법2 25를 30-5로 생각하기

62-25=62-30+$\boxed{5}$
=$\boxed{32}$+$\boxed{5}$
=$\boxed{37}$

✜ 방법1 62에서 22를 먼저 빼고 3을 더 뺍니다.
✜ 방법2 62에서 30을 뺀 후 5를 더합니다.

11 아래의 두 수를 더해서 위의 빈칸에 써넣으세요.

```
        146
      ┌──┴──┐
     62      84
   ┌─┴─┐   ┌─┴─┐
  44   18  25   59
```

✜ 44+18=62, 25+59=84 ➔ 62+84=146

12 빈칸에 알맞은 수를 써넣으세요.

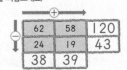

	+ →		
↓ −	62	58	120
	24	19	43
	38	39	

✜ 62+58=120, 24+19=43, 62-24=38, 58-19=39

13 공원에 비둘기가 50마리 있었습니다. 잠시 후 17마리가 날아갔습니다. 공원에 남아 있는 비둘기는 몇 마리인지 식을 쓰고 답을 구해 보세요.

식 50-17=33

답 33마리

✜ (남아 있는 비둘기 수)
=(공원에 있던 비둘기 수)-(날아간 비둘기 수)
=50-17=33(마리)

3
단원

정답과 풀이 p.18

교과서 개념 잡기

개념 5 덧셈과 뺄셈의 관계를 식으로 나타내기

• 덧셈식을 뺄셈식으로 나타내기

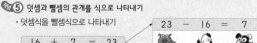

→ 동물이 어디로 움직이는지 확인해요.

• 뺄셈식을 덧셈식으로 나타내기

→ 과일이 어디로 움직이는지 확인해요.

개념 6 □의 값 구하기

초콜릿 15개 중 몇 개를 먹었더니 8개가 남았습니다. 먹은 초콜릿은 몇 개일까요?

방법1 그림으로 그려 보기

/로 지운 초콜릿은 7개입니다.

방법2 덧셈과 뺄셈의 관계 이용

먹은 초콜릿의 수를 □를 사용하여 뺄셈식으로 나타내면

$15-\square=8 \Rightarrow \square+8=15$
$\Rightarrow 15-8=\square, \square=7$

개념 O X

🐹 덧셈식 27+6=33을 뺄셈식으로 바르게 나타낸 곳에 ○표 하세요.

$\boxed{33-27=6}$ ⟵○

$\boxed{27-6=21}$

---

1 그림을 보고 덧셈식을 완성한 뒤 뺄셈식으로 나타내어 보세요.

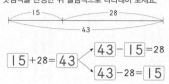

$\boxed{15}+28=\boxed{43}$ ⟵ $\boxed{43}-\boxed{15}=28$
$\boxed{43}-28=\boxed{15}$

2 그림을 보고 뺄셈식을 완성한 뒤 덧셈식으로 나타내어 보세요.

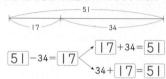

$\boxed{51}-34=\boxed{17}$ ⟵ $\boxed{17}+34=\boxed{51}$
$34+\boxed{17}=\boxed{51}$

3 도넛 24개 중 몇 개를 먹었더니 15개가 남았습니다. 먹은 도넛은 몇 개일까요?

(1) 남은 도넛이 15개가 되도록 왼쪽 그림에서 도넛을 /로 지워 보세요.

(2) 먹은 도넛 수를 ■를 사용하여 뺄셈식으로 나타내어 보세요.

⟶ $\boxed{24}-■=\boxed{15}$

(3) 먹은 도넛은 몇 개일까요?

(9개)

✤ (1) /로 지운 도넛은 9개입니다.
(3) $24-■=15, ■+15=24, 24-15=■, ■=9$

정답과 풀이 p.18

교과서 개념 잡기

개념 7 세 수의 계산 알아보기

• 더하고 빼기

$27+25-38=\boxed{14}$
$\boxed{52}$
$\boxed{14}$

❶ 앞의 두 수를 더한 뒤
❷ 마지막 수를 뺍니다.

• 빼고 더하기

$41-24+17=\boxed{34}$
$\boxed{17}$
$\boxed{34}$

❶ 앞의 두 수를 뺀 뒤
❷ 마지막 수를 더합니다.

세 수의 덧셈과 뺄셈이 같이 있는 식은 앞에서부터 차례로 계산합니다.

개념 O X

🐘 13+9-15를 바르게 계산한 곳에 ○표 하세요.

$13+9-15$
$=22-15=7$

$13+9-15$
$=22-15=17$

---

1 □ 안에 알맞은 수를 써넣으세요.

$\begin{array}{r} 3\ 5 \\ +\ 2\ 8 \\ \hline \boxed{6\ 3} \end{array}$ ⟶ $\begin{array}{r} \boxed{6\ 3} \\ -\ 4\ 7 \\ \hline \boxed{1\ 6} \end{array}$ ⟹ $35+28-47=\boxed{16}$

2 □ 안에 알맞은 수를 써넣으세요.

$\begin{array}{r} 4\ 3 \\ -\ 2\ 6 \\ \hline \boxed{1\ 7} \end{array}$ ⟶ $\begin{array}{r} \boxed{1\ 7} \\ +\ 3\ 4 \\ \hline \boxed{5\ 1} \end{array}$ ⟹ $43-26+34=\boxed{51}$

3 □ 안에 알맞은 수를 써넣으세요.

(1) $35+47+28=\boxed{110}$
$\boxed{82}$
$\boxed{110}$

(2) $71-39-15=\boxed{17}$
$\boxed{32}$
$\boxed{17}$

4 빈 곳에 알맞은 수를 써넣으세요.

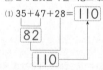

60 ⟶ 53

✤ $60-34+27=26+27=53$

교과서 개념 play 꿀단지 안에 수를 완성하고 덧(뺄)셈식 만들기

꿀단지 안의 세 수를 모두 사용하여 덧셈식 또는 뺄셈식을 만들려고 합니다. 꿀단지 안에 알맞은 수 붙임딱지를 붙이고 ☐ 안에 알맞은 수를 써넣으세요.

81
28 53
$$81 - 53 = 28$$
$$28 + 53 = 81$$
$$53 + 28 = 81$$

45
19 26
$$26 + 19 = 45$$
$$45 - 26 = 19$$
$$45 - 19 = 26$$

81
46 35
$$81 - 46 = 35$$
$$35 + 46 = 81$$
$$46 + 35 = 81$$

50
34 16
$$34 + 16 = 50$$
$$50 - 34 = 16$$
$$50 - 16 = 34$$

9
54 45
$$9 + 45 = 54$$
$$54 - 9 = 45$$
$$54 - 45 = 9$$

43
27 16
$$43 - 27 = 16$$
$$16 + 27 = 43$$
$$27 + 16 = 43$$

63
38 25
$$63 - 38 = 25$$
$$25 + 38 = 63$$
$$38 + 25 = 63$$

집중! 드릴 문제

정답과 풀이 p.19

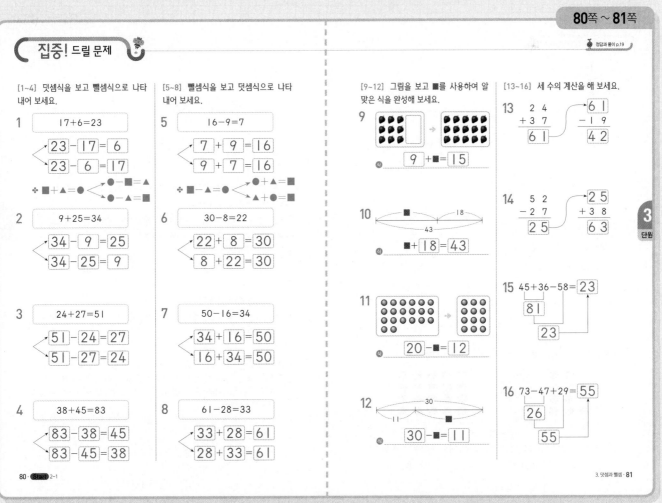

[1~4] 덧셈식을 보고 뺄셈식으로 나타내어 보세요.

1
$$17 + 6 = 23$$
$$23 - 17 = 6$$
$$23 - 6 = 17$$

÷ ● ■ = ▲ ●−■=▲
● + ▲ = ● ●−▲=■

2
$$9 + 25 = 34$$
$$34 - 9 = 25$$
$$34 - 25 = 9$$

3
$$24 + 27 = 51$$
$$51 - 24 = 27$$
$$51 - 27 = 24$$

4
$$38 + 45 = 83$$
$$83 - 38 = 45$$
$$83 - 45 = 38$$

[5~8] 뺄셈식을 보고 덧셈식으로 나타내어 보세요.

5
$$16 - 9 = 7$$
$$7 + 9 = 16$$
$$9 + 7 = 16$$

÷ ■ − ▲ = ● ●+▲=■
▲+●=■

6
$$30 - 8 = 22$$
$$22 + 8 = 30$$
$$8 + 22 = 30$$

7
$$50 - 16 = 34$$
$$34 + 16 = 50$$
$$16 + 34 = 50$$

8
$$61 - 28 = 33$$
$$33 + 28 = 61$$
$$28 + 33 = 61$$

[9~12] 그림을 보고 ■를 사용하여 알맞은 식을 완성해 보세요.

9
식 $9 + ■ = 15$

10
■ ‿‿ 18
43
식 $■ + 18 = 43$

11
식 $20 - ■ = 12$

12
30
11 ‿‿ ■
식 $30 - ■ = 11$

[13~16] 세 수의 계산을 해 보세요.

13
$$\begin{array}{r} 2\ 4 \\ +\ 3\ 7 \\ \hline 6\ 1 \end{array}$$ → $$\begin{array}{r} 6\ 1 \\ -\ 1\ 9 \\ \hline 4\ 2 \end{array}$$

14
$$\begin{array}{r} 5\ 2 \\ -\ 2\ 7 \\ \hline 2\ 5 \end{array}$$ → $$\begin{array}{r} 2\ 5 \\ +\ 3\ 8 \\ \hline 6\ 3 \end{array}$$

15
$$45 + 36 - 58 = 23$$
81
23

16
$$73 - 47 + 29 = 55$$
26
55

교과서 개념 확인 문제

정답과 풀이 p.20

1 계산 순서를 바르게 나타낸 것에 ○표 하세요.

( )　　　　(○)

✿ 세 수의 계산은 앞에서부터 차례로 계산해야 합니다.

2 □ 안에 알맞은 수를 써넣으세요.

$25+19+16=\boxed{60}$
$\boxed{44}$
$\boxed{60}$

$\begin{array}{r}2\,5\\+1\,9\\\hline\boxed{4\,4}\end{array}$　$\begin{array}{r}\boxed{4\,4}\\+1\,6\\\hline\boxed{6\,0}\end{array}$

3 덧셈식을 뺄셈식으로 나타내어 보세요.

(1) $39+18=57$ ⟨ $\boxed{57}-\boxed{39}=\boxed{18}$
$\boxed{57}-\boxed{18}=\boxed{39}$

(2) $15+56=71$ ⟨ $\boxed{71}-\boxed{15}=\boxed{56}$
$\boxed{71}-\boxed{56}=\boxed{15}$

✿ ■＋▲＝● ⟨ ●－■＝▲
●－▲＝■

4 □ 안에 알맞은 수를 써넣으세요.

$52-9+18=\boxed{61}$
$\boxed{43}$
$\boxed{61}$

$\begin{array}{r}5\,2\\-\ \ 9\\\hline\boxed{4\,3}\end{array}$　$\begin{array}{r}\boxed{4\,3}\\+1\,8\\\hline\boxed{6\,1}\end{array}$

5 □ 안에 알맞은 수를 써넣으세요.

$82-\boxed{29}=53 \Rightarrow 53+29=\boxed{82}$

✿ 뺄셈식과 덧셈식을 함께 살펴보면 전체는 82이고, 부분은 53
과 29입니다.
따라서 뺄셈식은 82－29＝53이고 덧셈식은
53＋29＝82입니다.

6 세 수를 이용하여 뺄셈식을 완성하고, 덧셈식으로 나타내어 보세요.

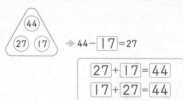

$44-\boxed{17}=27$

$\boxed{27}+\boxed{17}=\boxed{44}$
$\boxed{17}+\boxed{27}=\boxed{44}$

82 · **Start** 2-1　　　　3. 덧셈과 뺄셈 · 83

교과서 개념 확인 문제

정답과 풀이 p.20

7 □를 사용하여 알맞은 뺄셈식을 써 보세요.

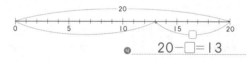

예 $20-\boxed{}=13$

8 계산해 보세요.

(1) $28+37-49=\boxed{16}$

(2) $50-24+16=\boxed{42}$

✿ (1) $28+37-49=65-49=16$
(2) $50-24+16=26+16=42$

9 빈칸에 알맞은 수만큼 ○를 그리고 □ 안에 알맞은 수를 써넣으세요.

$12+\boxed{8}=20$

✿ 오른쪽 그림의 개수인 20개와 같아질 때까지 ○를 그려 넣으
면 ○를 8개 더 그려야 하므로 □ 안에 알맞은 수는 8입니다.

10 가장 큰 수와 가장 작은 수의 합에서 나머지 수를 뺀 값을 구해 보세요.

(1) 62　28　43

(47)

(2) 36　28　57

(49)

✿ (1) 62>43>28이므로 가장 큰 수: 62, 가장 작은 수: 28입니다.
➔ $62+28-43=90-43=47$
(2) 57>36>28이므로 가장 큰 수: 57, 가장 작은 수: 28입니다.
➔ $57+28-36=85-36=49$

11 □ 안에 알맞은 수를 써넣으세요.

(1) $55+\boxed{18}=73$　　(2) $\boxed{81}-48=33$

(3) $17+34+\boxed{19}=70$

✿ (1) $55+□=73 ➔ 73-55=□, □=18$
(2) $□-48=33 ➔ 33+48=□, □=81$
(3) $17+34+□=70 ➔ □=70-17-34=53-34=19$
[다른 풀이] $17+34+□=70 ➔ 51+□=70, 70-51=□, □=19$

12 빨간 구슬이 37개, 파란 구슬이 25개 있습니다. 노란 구슬이 빨간 구슬과 파
란 구슬을 더한 수보다 9개 적을 때 노란 구슬은 몇 개인지 하나의 식을 쓰고
답을 구해 보세요.

식 $37+25-9=53$

답 53개

✿ (노란 구슬의 수)＝(빨간 구슬의 수)＋(파란 구슬의 수)－9
$=37+25-9$
$=62-9=53(개)$

84 · **Start** 2-1　　　　3. 덧셈과 뺄셈 · 85

개념 확인평가
3. 덧셈과 뺄셈

맞은 개수

정답과 풀이 p.21

1 덧셈을 해 보세요.

(1)
```
  3 7
+   8
  4 5
```
(2)
```
    ┊
  2 6
+ 3 9
  6 5
```
(3)
```
  ┊ ┊
  8 7
+ 7 4
1 6 1
```

❖ (3) 일의 자리 수끼리의 합이 10이거나 10보다 크면 십의 자리로 받아올림하고, 십의 자리 수끼리의 합이 10이거나 10보다 크면 백의 자리로 받아올림합니다.

2 뺄셈을 해 보세요.

(1)
```
  2 10
  3 3
-   7
  2 6
```
(2)
```
  5 10
  6 0
- 1 6
  4 4
```
(3)
```
  7 10
  8 2
- 4 7
  3 5
```

❖ 일의 자리 수끼리 뺄 수 없으면 십의 자리에서 받아내림하여 계산합니다.

3 계산을 하여 빈 곳에 알맞은 수를 써넣으세요.

(1) 46 +39→ 85

(2) 71 −34→ 37

4 □ 안에 알맞은 수를 써넣으세요.

(1) 16+34−28= 22
50
22

(2) 52−38+27= 41
14
41

5 덧셈식은 뺄셈식으로, 뺄셈식은 덧셈식으로 나타내어 보세요.

(1) 28+15=43
43 − 28 = 15
43 − 15 = 28

(2) 83−37=46
46 + 37 = 83
37 + 46 = 83

6 두 수의 차를 빈 곳에 바르게 쓴 양을 찾아 기호를 써 보세요.

㉠ 71 9 / 52
㉡ 80 55 / 35
㉢ 92 66 / 26

(㉢)

❖ ㉠ 71−9=62 ㉡ 80−55=25 ㉢ 92−66=26

7 도넛이 21개 있습니다. 가은이와 동생이 몇 개를 먹었더니 14개가 남았습니다. □ 안에 알맞은 수를 써넣으세요.

21− 7 =14

개념 확인평가
3. 덧셈과 뺄셈

정답과 풀이 p.21

8 계산을 하여 빈칸에 알맞은 수를 써넣으세요.

(1) 67 +25 −48 44

(2) 90 −56 +38 72

❖ (1) 67+25−48=92−48=44
(2) 90−56+38=34+38=72

9 [보기]와 같은 방법으로 계산하려고 합니다. □ 안에 알맞은 수를 써넣으세요.

[보기]
17+26=17+3+23
=20+23
=43

38+27=38+ 2 +25
= 40 +25
= 65

❖ 27을 2+25로 생각하여 2를 더한 뒤 25를 더합니다.

10 [보기]와 같은 방법으로 계산하려고 합니다. □ 안에 알맞은 수를 써넣으세요.

[보기]
43−27=43−23−4
=20−4
=16

51−36=51− 31 −5
= 20 −5
= 15

❖ 36을 31+5로 생각하여 31을 뺀 뒤 5를 뺍니다.

[GO! 매쓰]
여기까지 3단원 내용입니다.
다음부터는 4단원 내용이 시작합니다.

교과서 개념 잡기

정답과 풀이 p.22

개념 ① 여러 가지 단위로 길이 재어 보기

• 길이를 잴 때 사용할 수 있는 단위

뼘   클립   연필   리코더

참고 여러 가지 단위 중에서 짧은 물건은 짧은 단위를 사용하고, 긴 물건은 긴 단위를 사용하여 재는 것이 편리합니다.

예 뼘으로 막대의 길이 재기

➡ 막대의 길이는 뼘으로 5번이므로 5뼘입니다.

개념 ② I cm 알아보기

▭의 길이를 **I cm** 라 쓰고 I 센티미터라고 읽습니다.

예 I cm가 3번이면 3 cm라 쓰고 3 **센티미터**라고 읽습니다.

⊕⊖ 개념 O X

🐵 2 cm를 바르게 쓴 것에 ○표 하세요.

⟨2 cm에 ○표⟩

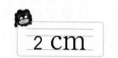

2 cm

90 · Start 2-1

---

1 책상의 긴 쪽의 길이를 재는 데 더 알맞은 단위에 ○표 하세요.

참고 짧은 물건은 짧은 단위를 사용하고, 긴 물건은 긴 단위를 사용하여 재는 것이 편리합니다.

( )   (○)

❖ 책상의 긴 쪽의 길이는 크레파스보다 길이가 더 긴 뼘으로 재는 것이 더 편리합니다.

2 5 cm를 바르게 쓰고 읽어 보세요.

5 cm

(5 센티미터)

❖ 5는 크게 쓰고 cm는 작게 씁니다.

3 ▭ 안에 알맞은 수를 써넣으세요.

우산의 길이는 볼펜으로 **4** 번입니다.

❖ 우산의 길이를 재어 보면 볼펜으로 4번입니다.

4 주어진 길이만큼 색칠해 보세요.

I cm

3 cm

❖ I cm가 3번이면 3 cm이므로 3칸에 색칠합니다.

4. 길이 재기 · 91

교과서 개념 잡기

정답과 풀이 p.22

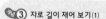

개념 ③ 자로 길이 재어 보기(1)

• 눈금 0에 맞추어 길이 재어 보기

① 연필의 한쪽 끝을 자의 눈금 0에 맞춥니다.
② 연필의 다른 쪽 끝에 있는 자의 눈금을 읽습니다.
➡ 연필의 길이는 7 cm입니다.

• 눈금 0이 아닌 한 눈금에 맞추어 길이 재어 보기

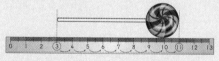

① 막대사탕의 한쪽 끝을 자의 한 눈금에 맞춥니다.
② 그 눈금에서 다른 쪽 끝까지 I cm가 몇 번 들어가는지 셉니다.
➡ 막대사탕의 길이는 8 cm입니다.

한쪽 끝이 ●cm, 다른 쪽 끝이 ▲cm이면 길이는 (▲−●)cm예요.

⊕⊖ 개념 O X

🐹 물감의 길이를 자로 바르게 잰 것에 ○표 하세요.

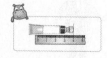

⟨○표⟩

92 · Start 2-1

---

1 그림을 보고 알맞은 길이에 ○표 하세요.

머리핀의 길이는 (⟨5 cm에 ○표⟩ , 6 cm)입니다.

❖ 머리핀의 한쪽 끝이 자의 눈금 0에 맞추어져 있고 다른 쪽 끝은 자의 눈금 5입니다. 따라서 머리핀의 길이는 5 cm입니다.

2 지우개의 긴 쪽의 길이는 몇 cm인지 자로 재어 보세요.

(6 cm)

❖ 지우개의 긴 쪽의 한쪽 끝을 자의 눈금 0에 맞추었을 때 다른 쪽 끝이 가리키는 눈금은 6입니다. 따라서 지우개의 긴 쪽의 길이는 6 cm입니다.

3 그림을 보고 맞으면 ○표, 틀리면 ×표 하세요.

색연필의 길이는 9 cm입니다. (×)

❖ 색연필은 자의 눈금 2부터 9까지 I cm가 7번 들어갑니다. 따라서 색연필의 길이는 7 cm입니다.

4 ▭ 안에 알맞은 수를 써넣으세요.

6 cm

❖ I cm가 6번 들어가므로 6 cm입니다.

4. 길이 재기 · 93

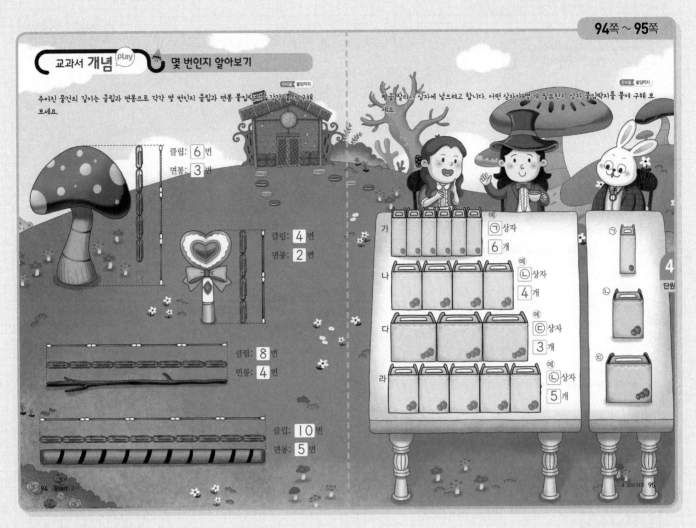

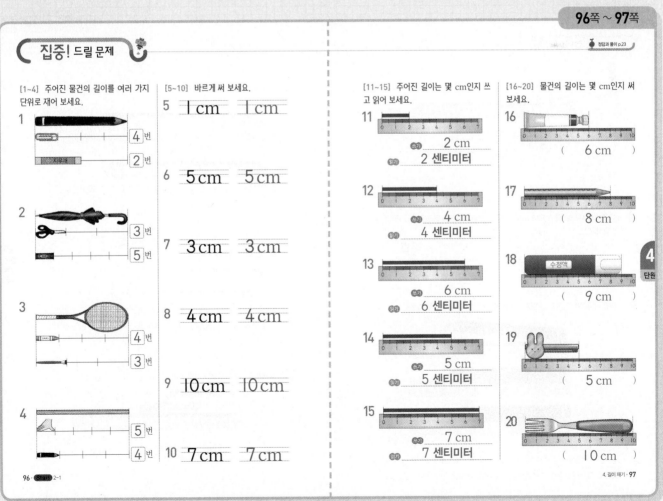

교과서 개념 확인 문제

정답과 풀이 p.24

1 □ 안에 알맞은 수를 써넣으세요.

대파의 길이는 못으로 **5** 번입니다.

✤ 대파의 길이는 못으로 5번 잰 길이와 같습니다.

2 자를 보고 물음에 답하세요.

(1) 알맞은 말에 ○표 하세요.

자에 있는 큰 눈금 한 칸 사이의 길이는 (⦿같습니다), 다릅니다).

(2) □ 안에 알맞은 수나 말을 써넣으세요.

◼◼◼의 길이를 **1** cm라 쓰고 **1 센티미터** 라고 읽습니다.

3 길이를 잴 때 사용되는 단위 중에 가장 긴 것에 ○표, 가장 짧은 것에 △표 하세요.

( ) (△) ( ) (○)

4 정우와 가은이가 각자의 뼘으로 책상의 긴 쪽의 길이를 재었습니다. 한 뼘의 길이가 더 긴 사람은 누구일까요?

정우의 뼘	가은이의 뼘
9번	10번

(정우)

✤ 뼘의 길이가 길수록 물건을 잰 횟수가 적으므로 정우의 한 뼘의 길이가 더 깁니다.

5 ◼와 ●에 알맞은 수를 각각 구해 보세요.

• 1 cm가 7번이면 ◼ cm입니다.
• 5 cm는 1 cm가 ● 번입니다.

◼ (7)
● (5)

✤ 1 cm가 7번이면 7 cm이므로 ◼=7이고, 5 cm는 1 cm가 5번이므로 ●=5입니다.

6 영진, 채민, 승기는 모형으로 모양 만들기를 하였습니다. 가장 길게 연결한 사람은 누구일까요?

영진   채민   승기

(승기)

✤ 영진이는 5개, 채민이는 3개, 승기는 6개 연결하였으므로 가장 길게 연결한 사람은 승기입니다.

4 단원

교과서 개념 확인 문제

정답과 풀이 p.24

7 □ 안에 알맞은 수를 써넣고, 주어진 길이를 쓰고 읽어 보세요.

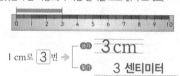

1 cm로 **3** 번 → 쓰기 **3 cm**
        → 읽기 **3 센티미터**

8 색연필의 길이를 자로 재어 보니 8 cm였습니다. 색연필의 길이는 1 cm로 몇 번일까요?

(8번)

✤ 8 cm는 1 cm로 8번입니다.

9 자를 이용하여 연필의 길이를 바르게 잰 것을 찾아 기호를 써 보세요.

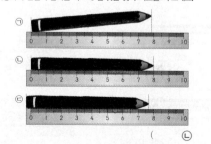

(㉡)

✤ 자와 연필을 나란히 맞춘 다음 연필의 한쪽 끝을 자의 눈금 0에 맞추어야 하므로 연필의 길이를 바르게 잰 것은 ㉡입니다.

10 □ 안에 알맞은 수를 써넣으세요.

(1)
  4 cm

✤ 2부터 6까지 1 cm가 4번 들어가므로 4 cm입니다.

(2)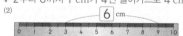
  6 cm

✤ 3부터 9까지 1 cm가 6번 들어가므로 6 cm입니다.

11 주어진 길이만큼 점선을 따라 선을 그어 보세요.

(1) 3 cm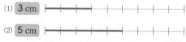

(2) 5 cm

✤ (1) 3 cm는 1 cm가 3번이므로 3칸만큼 선을 긋습니다.
   (2) 5 cm는 1 cm가 5번이므로 5칸만큼 선을 긋습니다.

12 길이가 4 cm인 사탕의 기호를 써 보세요.

(㉡)

✤ 1 cm가 4번이면 4 cm이므로 1 cm가 4번인 것은 ㉡입니다.

4 단원

교과서 개념 잡기

정답과 풀이 p.25

개념 ④ 자로 길이 재어 보기(2)

• 색연필의 길이를 약 몇 cm로 나타내기 ← 0부터 길이를 잰 경우

길이가 자의 눈금 사이에 있을 때는 가까이에 있는 쪽의 숫자를 읽으며, 숫자 앞에 약을 붙여 말합니다.

한쪽 끝을 0에 맞춥니다.

다른 쪽 끝은 5에 가깝습니다.

➡ 색연필의 길이는 5 cm에 가깝기 때문에 약 5 cm입니다.

• 연필의 길이를 약 몇 cm로 나타내기 ← 0부터 길이를 재지 않은 경우

한쪽 끝이 2에 맞추어져 있습니다.

다른 쪽 끝은 10에 가깝습니다.

➡ 연필의 한쪽 끝이 10 cm에 가깝지만 2 cm부터 재었기 때문에 연필의 길이는 약 8 cm입니다.

➕✖ 개념 O X

✍ 길이가 약 3 cm인 색 테이프에 ○표 하세요.

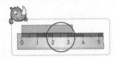 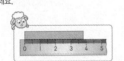

---

1 나무 막대의 길이를 재어 보려고 합니다. 물음에 답하세요.

(1) 나무 막대의 오른쪽 끝이 몇 cm 눈금에 가까울까요?

(**7** cm)

(2) 나무 막대의 길이는 약 몇 cm일까요?

약 (**7** cm)

✤ 나무 막대의 길이는 7 cm에 가깝기 때문에 약 7 cm입니다.

2 나뭇잎의 길이를 재어 보려고 합니다. 물음에 답하세요.

(1) 나뭇잎의 길이는 1 cm가 몇 번인 길이에 가까울까요?

(**5번**)

(2) 나뭇잎의 길이는 약 몇 cm일까요?

약 (**5** cm)

✤ 나뭇잎의 길이는 1 cm가 5번인 길이에 가깝기 때문에 약 5 cm입니다.

3 물감의 길이는 약 몇 cm일까요?

약 (**7** cm)

✤ 물감의 길이는 7 cm에 가깝기 때문에 약 7 cm입니다.

4
단원

교과서 개념 잡기

정답과 풀이 p.25

개념 ⑤ 길이 어림하기

• 물건의 길이를 어림하기

어림한 길이를 말할 때는 숫자 앞에 약을 붙여서 말합니다.

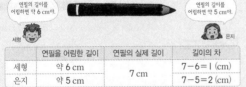

연필의 길이를 어림하면 약 6 cm야.

연필의 길이를 어림하면 약 5 cm야.

세형 은지

	연필을 어림한 길이	연필의 실제 길이	길이의 차
세형	약 6 cm	7 cm	7−6=1 (cm)
은지	약 5 cm		7−5=2 (cm)

➡ 연필의 실제 길이와 어림한 길이의 차가 더 작은 세형이가 더 가깝게 어림했습니다.

➡ 실제 길이와 어림한 길이의 차가 작을수록 어림을 잘한 것입니다.

• 주어진 길이를 어림하여 선 긋기

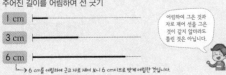

1 cm

3 cm

6 cm

어림하여 그은 것과 자로 재어 선을 그은 것이 같지 않더라도 틀린 것은 아닙니다.

→ 6 cm를 어림하여 긋고 자로 재어 보니 6 cm이므로 맞게 어림한 것입니다.

➕✖ 개념 O X

✍ 색 테이프의 길이가 약 5 cm인 것에 ○표 하세요.

---

1 가 색 테이프의 길이는 1 cm입니다. 나 색 테이프의 길이는 약 몇 cm인지 어림해 보세요.

가

나

약 (예 **5** cm)

✤ 가 색 테이프로 5번 정도 되므로 나 색 테이프의 길이는 약 5 cm입니다.

2 막대 과자의 길이는 약 몇 cm인지 어림하고 자로 재어 확인해 보세요.

어림한 길이: 약 (예 **6** cm)

자로 잰 길이: (**6** cm)

✤ 1 cm가 몇 번 정도 되는지 세어 길이를 어림한 다음 자로 재어 봅니다.

3 은지와 현우가 막대의 길이를 어림한 후 실제 길이와 어림한 길이의 차를 구한 것입니다. 실제 길이에 더 가깝게 어림한 사람은 누구일까요?

	은지	현우
실제 길이와 어림한 길이의 차	3 cm	2 cm

(**현우**)

✤ 실제 길이와 어림한 길이의 차가 작을수록 더 가깝게 어림한 것입니다.

4 주어진 길이를 어림하여 점선을 따라 선을 그어 보세요.

(1) 2 cm 예

(2) 5 cm 예

✤ (1) 1 cm가 2번 정도 되도록 점선을 따라 선을 긋습니다.

(2) 1 cm가 5번 정도 되도록 점선을 따라 선을 긋습니다.

4
단원

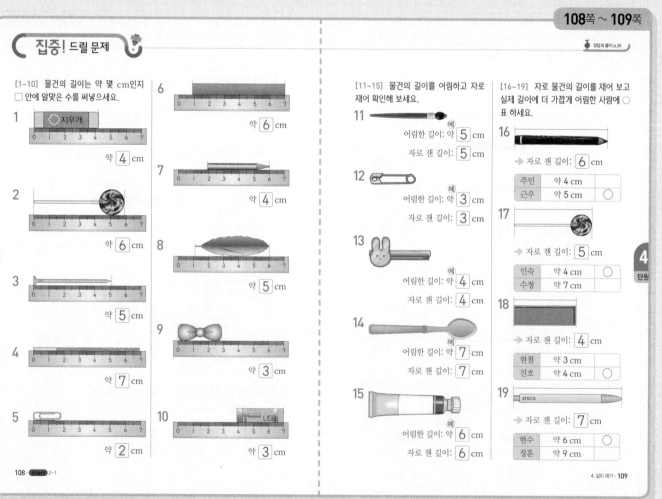

교과서 **개념 확인 문제**

정답과 풀이 p.27

1 연필의 길이를 재려고 합니다. □ 안에 알맞은 수를 써넣으세요.

(1) 연필의 오른쪽 끝이 $\boxed{7}$ cm 눈금에 가깝습니다.

(2) 연필의 길이는 약 $\boxed{7}$ cm입니다.

✤ 연필의 길이는 7 cm에 가깝기 때문에 약 7 cm입니다.

2 포크의 길이는 약 몇 cm일까요?

(**약** 9 cm)

✤ 포크의 길이는 9 cm에 가깝기 때문에 약 9 cm입니다.

3 막대 사탕의 길이를 재려고 합니다. 물음에 답하세요.

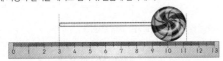

(1) 막대 사탕의 길이는 1 cm가 몇 번 정도 될까요?

(8번)

(2) 막대 사탕의 길이는 약 몇 cm일까요?

(약 8 cm)

✤ 막대 사탕의 길이는 1 cm가 8번 정도 되므로 약 8 cm입니다.

4 지우개의 길이는 약 몇 cm일까요?

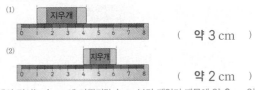

(1) (약 3 cm)

(2) (약 2 cm)

✤ (1) 지우개의 길이는 4 cm에 가깝지만 1 cm부터 재었기 때문에 약 3 cm입니다.

(2) 지우개의 길이는 6 cm에 가깝지만 4 cm부터 재었기 때문에 약 2 cm입니다.

5 삼각형의 세 변의 길이를 자로 재어 보세요.

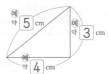

예 약 5 cm / 예 3 cm / 예 약 4 cm

✤ 각 변의 길이를 재어 가까운 쪽의 숫자를 읽습니다.

주의 삼각형의 각 변에 자를 바르게 놓은 후 길이를 재어야 합니다.

6 색 테이프의 길이를 바르게 나타낸 동물에 ○표 하세요.

약 8 cm / 약 6 cm

( ) (○)

✤ 색 테이프의 길이는 8 cm에 가깝지만 2 cm부터 재었기 때문에 약 6 cm입니다.

4 단원

교과서 **개념 확인 문제**

정답과 풀이 p.27

7 치약의 길이를 어림하고 자로 재어 보세요.

어림한 길이 (약 예 6 cm)

자로 잰 길이 (6 cm)

✤ 치약의 길이는 1 cm로 6번 정도 되므로 어림하면 약 6 cm입니다.

참고 1 cm 길이를 생각하여 1 cm가 몇 번 정도 되는지 생각하여 어림합니다.

8 ㉠과 ㉡의 길이를 각각 어림하고 자로 재어 보세요.

	어림한 길이	자로 잰 길이
㉠	약 예 4 cm	4 cm
㉡	약 예 5 cm	5 cm

9 보기 에서 알맞은 길이를 골라 문장을 완성해 보세요.

보기

1 cm 7 cm 30 cm 130 cm

(1) 초등학교 5학년인 언니의 키는 약 $\boxed{130}$ cm입니다.

(2) 칫솔의 길이는 약 $\boxed{7}$ cm입니다.

✤ (1) 초등학교 5학년인 언니의 키는 약 130 cm라고 할 수 있습니다.

(2) 칫솔의 길이는 약 7 cm라고 할 수 있습니다.

10 길이가 10 cm인 나무 막대의 길이를 어림한 것입니다. 실제 길이에 더 가깝게 어림한 사람은 누구일까요?

준수	아영
약 12 cm	약 9 cm

(아영)

✤ 어림한 길이와 실제 길이의 차를 구해 보면 준수는 12-10=2 (cm), 아영이는 10-9=1 (cm)이므로 아영이가 실제 길이에 더 가깝게 어림하였습니다.

11 주어진 길이를 어림하여 점선을 따라 선을 그어 보세요.

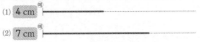

(1) 4 cm 예

(2) 7 cm 예

✤ (1) 1 cm가 4번 정도 되도록 점선을 따라 선을 긋습니다.

(2) 1 cm가 7번 정도 되도록 점선을 따라 선을 긋습니다.

12 ㉠의 길이는 2 cm입니다. ㉡의 길이는 약 몇 cm일까요?

㉠ ├──┤

㉡ ├────────┤

(약 8 cm)

✤ ㉡의 길이는 ㉠의 길이로 4번 정도 되므로 약 8 cm입니다.

4 단원

개념 확인평가 4. 길이 재기

맞은 개수

정답과 풀이 p.28

1 지우개의 길이는 클립으로 몇 번일까요?

(**3번**)

✤ 지우개의 길이를 클립으로 재어 보면 3번입니다.

2 풀의 길이는 몇 cm인지 쓰고 읽어 보세요.

쓰기 **4 cm**

읽기 **4 센티미터**

✤ 왼쪽 끝이 자의 눈금 0에 맞추어져 있고 오른쪽 끝이 자의 눈금 4에 있으므로 풀의 길이는 4 cm입니다.

3 색연필의 길이는 몇 cm인지 자로 재어 보세요.

(**10 cm**)

✤ 색연필의 길이는 10 cm입니다.

4 물건의 실제 길이에 가장 가까운 것을 찾아 이어 보세요.

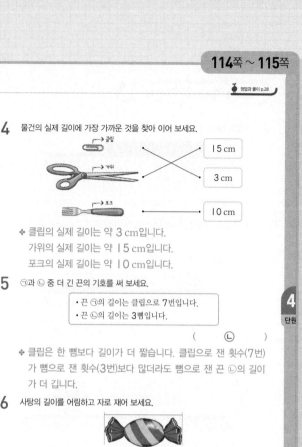

| 15 cm |
| 3 cm |
| 10 cm |

✤ 클립의 실제 길이는 약 3 cm입니다.
 가위의 실제 길이는 약 15 cm입니다.
 포크의 실제 길이는 약 10 cm입니다.

5 ㉠과 ㉡ 중 더 긴 끈의 기호를 써 보세요.

- 끈 ㉠의 길이는 클립으로 7번입니다.
- 끈 ㉡의 길이는 3뼘입니다.

(**㉡**)

✤ 클립은 한 뼘보다 길이가 더 짧습니다. 클립으로 잰 횟수(7번)가 뼘으로 잰 횟수(3번)보다 많더라도 뼘으로 잰 끈 ㉡의 길이가 더 깁니다.

6 사탕의 길이를 어림하고 자로 재어 보세요.

어림한 길이 (약 예 **5** cm)
자로 잰 길이 (**5** cm)

✤ 1 cm가 몇 번 정도 되는지 세어 길이를 어림합니다.

참고 어림한 길이를 말할 때는 숫자 앞에 '약'을 붙여서 말합니다.

개념 확인평가 4. 길이 재기

정답과 풀이 p.28

[7~8] 다음은 혜승이네 집에서 학교, 도서관, 수영장의 거리를 나타낸 그림입니다. 물음에 답하세요.

7 혜승이네 집에서 가장 가까운 곳은 어디일까요?

(**수영장**)

✤ 선의 길이를 자로 재어 비교했을 때 길이가 가장 짧은 곳이 수영장이므로 혜승이네 집에서 가장 가까운 곳은 수영장입니다.

8 혜승이네 집에서 가장 먼 곳은 어디일까요?

(**도서관**)

✤ 선의 길이를 자로 재어 비교했을 때 길이가 가장 긴 곳이 도서관이므로 혜승이네 집에서 가장 먼 곳은 도서관입니다.

9 가장 작은 사각형의 네 변의 길이는 같고 한 변의 길이는 1 cm입니다. 도형을 둘러싼 굵은 선의 길이는 몇 cm일까요?

1 cm

(**10 cm**)

✤ 도형을 둘러싼 굵은 선에는 길이가 1 cm인 변이 10개 있습니다. 따라서 굵은 선의 길이는 10 cm입니다.

[GO! 매쓰]
여기까지 4단원 내용입니다.
다음부터는 5단원 내용이
시작합니다.

교과서 개념 잡기

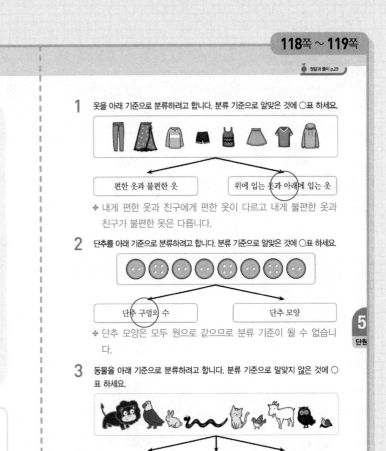

개념 ① 분류하기

분류: 기준에 따라 나누는 것

- 과일을 색깔에 따라 분류하기
- 맛있는 과일과 맛없는 과일로 분류하기

빨간색 과일	노란색 과일	초록색 과일

맛있는 과일	맛없는 과일

➡ 기준이 분명하지 않아서 결과가 다르게 나올 수 있어요.

분류할 때는 분명한 기준을 정해서 누가 분류하더라도 항상 같은 결과가 나올 수 있도록 해야 합니다.

개념 O X

📖 분류 기준으로 알맞은 것에 ◯표 하세요.

색깔에 따라 분류	크기에 따라 분류

118 · Start 2-1

정답과 풀이 p.29

1 옷을 아래 기준으로 분류하려고 합니다. 분류 기준으로 알맞은 것에 ◯표 하세요.

편한 옷과 불편한 옷	위에 입는 옷과 아래에 입는 옷

✤ 내게 편한 옷과 친구에게 편한 옷이 다르고 내게 불편한 옷과 친구가 불편한 옷은 다릅니다.

2 단추를 아래 기준으로 분류하려고 합니다. 분류 기준으로 알맞은 것에 ◯표 하세요.

단추 구멍의 수	단추 모양

✤ 단추 모양은 모두 원으로 같으므로 분류 기준이 될 수 없습니다.

3 동물을 아래 기준으로 분류하려고 합니다. 분류 기준으로 알맞지 않은 것에 ◯표 하세요.

다리가 있는 것과 없는 것	좋아하는 것과 좋아하지 않는 것	하늘을 날 수 있는 것과 날 수 없는 것

✤ 내가 좋아하는 동물과 친구가 좋아하는 동물이 다르고 내가 좋아하지 않는 동물과 친구가 좋아하지 않는 동물은 다릅니다.

5. 분류하기 · 119

교과서 개념 잡기

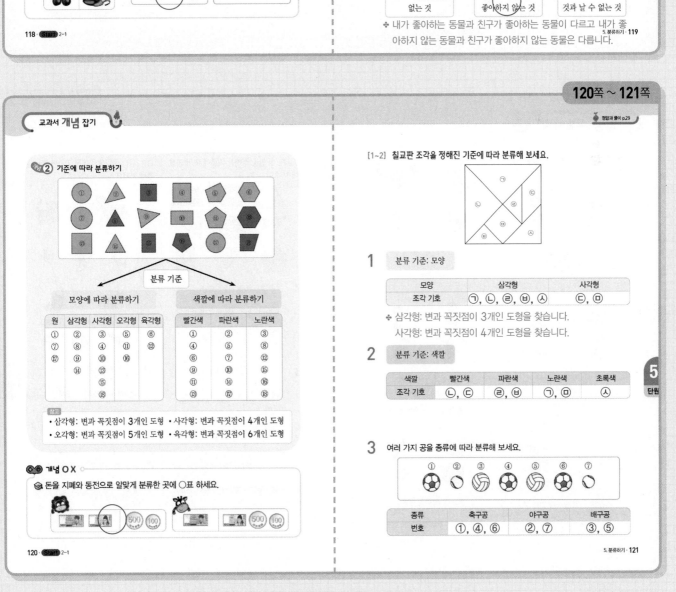

개념 ② 기준에 따라 분류하기

분류 기준

모양에 따라 분류하기

원	삼각형	사각형	오각형	육각형
①	②	③	⑤	⑥
⑦	⑧	④	⑪	⑫
⑰	⑨	⑩	⑯	
	⑭	⑬		
		⑮		
		⑱		

색깔에 따라 분류하기

빨간색	파란색	노란색
①	②	③
④	⑤	⑧
⑥	⑦	⑫
⑨	⑩	⑮
⑪	⑭	⑯
⑬	⑰	⑱

참고
• 삼각형: 변과 꼭짓점이 3개인 도형 • 사각형: 변과 꼭짓점이 4개인 도형
• 오각형: 변과 꼭짓점이 5개인 도형 • 육각형: 변과 꼭짓점이 6개인 도형

개념 O X

📖 돈을 지폐와 동전으로 알맞게 분류한 곳에 ◯표 하세요.

120 · Start 2-1

정답과 풀이 p.29

[1~2] 칠교판 조각을 정해진 기준에 따라 분류해 보세요.

1 분류 기준: 모양

모양	삼각형	사각형
조각 기호	㉠, ㉡, ㉣, ㉧, ㉥	㉢, ㉤

✤ 삼각형: 변과 꼭짓점이 3개인 도형을 찾습니다.
사각형: 변과 꼭짓점이 4개인 도형을 찾습니다.

2 분류 기준: 색깔

색깔	빨간색	파란색	노란색	초록색
조각 기호	㉡, ㉢	㉣, ㉥	㉠, ㉤	㉧

3 여러 가지 공을 종류에 따라 분류해 보세요.

종류	축구공	야구공	배구공
번호	①, ④, ⑥	②, ⑦	③, ⑤

5. 분류하기 · 121

정답과 풀이 · 29

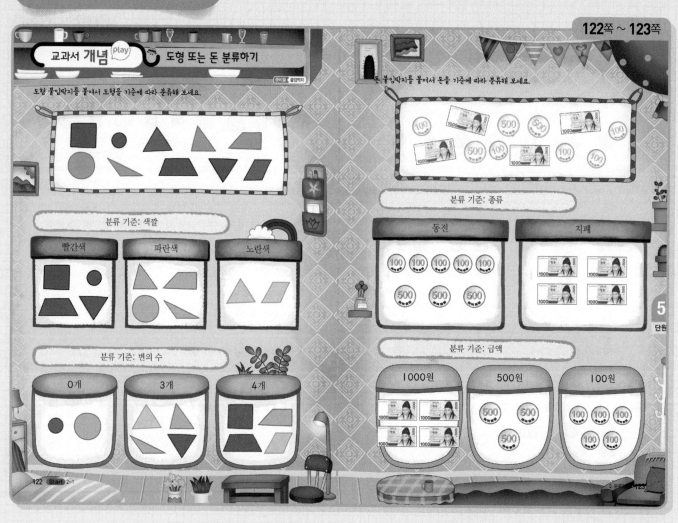

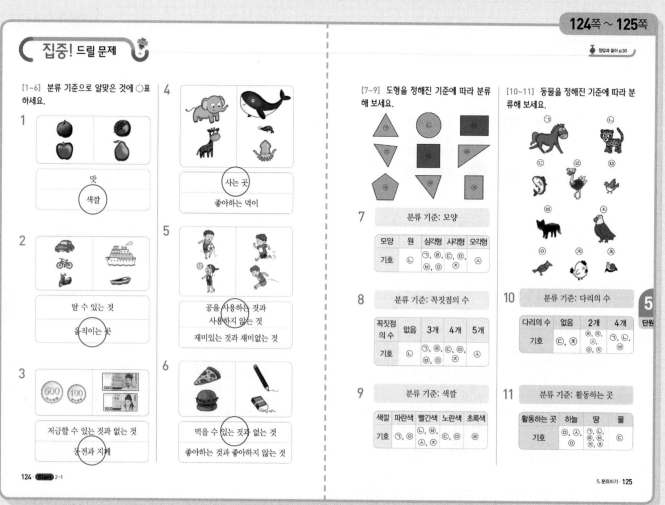

교과서 **개념 확인 문제**

1 분류 기준으로 알맞은 것에 ◯표 하세요.

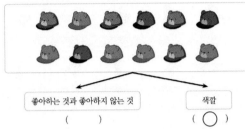

좋아하는 것과 좋아하지 않는 것   색깔

(   )   (◯)

❖ 좋아하는 것과 좋아하는 않는 것은 분명한 기준이 아니므로 분류 기준으로 알맞지 않습니다.

2 다음을 어떻게 분류하면 좋을지 기준을 써 보세요.

⑩ **다리가 2개인 것과 4개인 것**

126 · 2-1

3 다음은 영진이가 분류한 것입니다. 잘못 분류된 것에 ✕표 하세요.

❖ 모양에 따라 분류한 것이므로 분류통은 제일 오른쪽으로 옮겨야 합니다.

4 크기를 기준으로 분류할 수 있는 것에 ◯표 하세요.

(   )   (◯)   (   )

❖ 가장 오른쪽과 왼쪽은 크기가 같으므로 크기를 기준으로 분류할 수 없습니다.

5 도형을 분류할 수 있는 기준을 모두 써 보세요.

(⑩ **모양, 색깔**)

❖ 도형을 모양에 따라 분류하면 사각형, 삼각형, 원으로 분류할 수 있고 도형을 색깔에 따라 분류하면 빨간색, 노란색, 초록색으로 분류할 수 있습니다.

5. 분류하기 · 127

교과서 **개념 확인 문제**

6 칠판에 붙어 있는 자석을 분류 기준을 정해 분류한 것입니다. 빈칸에 알맞은 분류 기준을 써 보세요.

가 2 독 4
1 너 3 랑 5

분류 기준 : **한글과 숫자**

| 가 너 독 랑 | I 2 3 4 5 |

❖ 한글과 숫자로 분류한 것입니다.

7 지민이가 산 쿠키입니다. 물음에 답하세요.

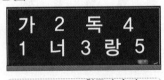

(1) 모양에 따라 분류하면 몇 가지로 분류할 수 있을까요?

❖ ◯, ☆, ♡ 모양으로 3가지입니다.   (**3가지**)

(2) 모양에 따라 분류하여 기호를 써 보세요.

모양	⬤	⭐	♡
기호	㉠, ㉧	㉡, ㉣, ㉢	㉢, ㉤, ㉥

❖ ◯ 모양, ☆ 모양, ♡ 모양으로 분류합니다.

128 · 2-1

8 분류 기준에 맞게 분류한 것끼리 이어 보세요.

크기 •
종류 •
모양 •

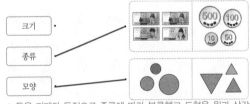
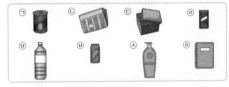

❖ 돈을 지폐와 동전으로 종류에 따라 분류했고 도형을 원과 삼각형으로 모양에 따라 분류했습니다.

[9~10] 쓰레기통에 있는 쓰레기를 분류하여 버리려고 합니다. 물음에 답하세요.

9 쓰레기를 ㉮, ㉯, ㉰와 같이 분류하였을 때 분류 기준을 써 보세요.

분류 기준		**종류**	
기준	㉮	㉯	㉰
기호	㉠, ㉣, ㉥	㉡, ㉢, ㉧	㉤, ㉦

❖ ㉠, ㉣, ㉥은 캔류, ㉡, ㉢, ㉧은 종이류, ㉤, ㉦은 플라스틱류입니다.

10 위의 분류 기준으로 종이컵을 분류하려고 할 때, ㉮, ㉯, ㉰ 중 어느 쪽으로 분류해야 할까요?

(**㉯**)

❖ 종이컵은 종이이므로 ㉯ 쪽으로 분류해야 합니다.

5. 분류하기 · 129

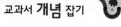

GO! 매쓰 **Start** 정답

교과서 개념 잡기

개념 ③ 분류하여 세어 보기

| 사과 | 바나나 | 키위 | 멜론 | 사과 | 체리 | 사과 |
| 바나나 | 체리 | 바나나 | 사과 | 키위 | 멜론 | 사과 |

분류 기준: 종류

종류	사과	바나나	키위	멜론	체리
세면서 표시하기	/////	///	//	//	//
수(개)	5	3	2	2	2

분류 기준: 색깔

색깔	빨간색	노란색	초록색
세면서 표시하기	///// //	///	////
수(개)	7	3	4

참고
조사한 자료를 셀 때 자료를 빠뜨리지 않고 모두 세어야 합니다. /, ✓, ○, × 등의 다양한 기호를 이용하여 표시하며 셉니다.

개념 O X

꽃을 종류에 따라 분류하여 그 수를 바르게 센 곳에 ○표 하세요.

종류			
꽃의 수(송이)	3	③	2

130 · 2-1

1 학용품을 종류에 따라 분류하여 그 수를 세어 보세요.

| 가위 | 풀 | 지우개 | 자 | 지우개 |
| 자 | 지우개 | 풀 | 지우개 | 풀 |

종류	가위	풀	지우개	자
세면서 표시하기	/	///	////	//
수(개)	1	3	4	2

2 돈을 종류에 따라 분류하여 그 수를 세어 보세요.

종류	지폐	동전
세면서 표시하기	///// /	///// //
수(개)	6	7

5 단원

5. 분류하기 · 131

교과서 개념 잡기

개념 ④ 분류한 결과를 말하기

| 세종대왕 | 이순신 | 신사임당 | 안중근 | 이순신 | 세종대왕 | 신사임당 |
| 신사임당 | 안중근 | 세종대왕 | 신사임당 | 세종대왕 | 이순신 | 세종대왕 |

분류 기준은? → 존경하는 인물

인물				
세면서 표시하기	/////	///	////	//
학생 수(명)	5	3	4	2

분류한 결과
① 가장 많은 학생들이 존경하는 인물은 세종대왕입니다.
② 가장 적은 학생들이 존경하는 인물은 안중근입니다.

개념 O X

영아네 모둠 학생들이 좋아하는 음식을 분류하여 그 수를 세었습니다. 분류 결과를 바르게 말한 곳에 ○표 하세요.

종류	자장면	짬뽕	우동
학생 수(명)	4	3	1

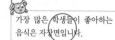
가장 많은 학생들이 좋아하는 음식은 자장면입니다.

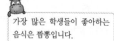
가장 많은 학생들이 좋아하는 음식은 짬뽕입니다.

132 · 2-1

[1~2] 상혁이네 모둠 학생들이 좋아하는 콘 아이스크림입니다. 물음에 답하세요.

| 초콜릿 맛 | 딸기 맛 | 녹차 맛 | 초콜릿 맛 | 딸기 맛 | 초콜릿 맛 | 딸기 맛 | 초콜릿 맛 |

1 맛에 따라 분류하여 그 수를 세어 보세요.

맛	초콜릿 맛	딸기 맛	녹차 맛
학생 수(명)	4	3	1

2 가장 많은 학생들이 좋아하는 콘 아이스크림은 어떤 맛일까요? (초콜릿 맛)
✤ 가장 많은 학생들이 좋아하는 콘 아이스크림은 4명이 좋아하는 초콜릿 맛입니다.

[3~4] 가온이네 반 학생들이 좋아하는 놀이입니다. 물음에 답하세요.

| 딱지치기 | 제기차기 | 윷놀이 | 딱지치기 | 윷놀이 | 딱지치기 | 윷놀이 |
| 윷놀이 | 딱지치기 | 제기차기 | 윷놀이 | 제기차기 | 윷놀이 | 딱지치기 |

3 종류에 따라 분류하여 그 수를 세어 보세요.

종류	딱지치기	제기차기	윷놀이
학생 수(명)	5	3	6

4 가장 적은 학생들이 좋아하는 놀이는 무엇일까요? (제기차기)
✤ 가장 적은 학생들이 좋아하는 놀이는 3명이 좋아하는 제기차기입니다.

5 단원

5. 분류하기 · 133

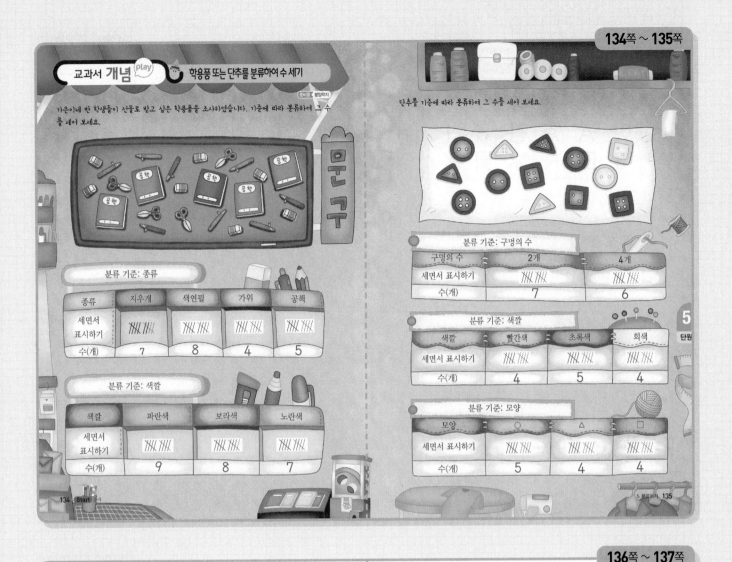

교과서 **개념** play · 학용품 또는 단추를 분류하여 수 세기

가은이네 반 학생들이 선물로 받고 싶은 학용품을 조사하였습니다. 기준에 따라 분류하여 그 수를 세어 보세요.

분류 기준: 종류

종류	지우개	색연필	가위	공책
세면서 표시하기				
수(개)	7	8	4	5

분류 기준: 색깔

색깔	파란색	보라색	노란색
세면서 표시하기			
수(개)	9	8	7

단추를 기준에 따라 분류하여 그 수를 세어 보세요.

분류 기준: 구멍의 수

구멍의 수	2개	4개
세면서 표시하기		
수(개)	7	6

분류 기준: 색깔

색깔	빨간색	초록색	회색
세면서 표시하기			
수(개)	4	5	4

분류 기준: 모양

모양	○	△	□
세면서 표시하기			
수(개)		4	4

5 단원

집중! 드릴 문제

정답과 풀이 p.33

[1~2] 도형을 보고 물음에 답하세요.

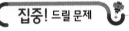

1 변의 수에 따라 분류하고 그 수를 세어 보세요.

변의 수	3개	4개	5개	6개
기호	㉠, ㉤ ㉧, ㉫	㉡, ㉣, ㉦, ㉪	㉢, ㉩	㉥
수(개)	5	4	2	1

2 색깔에 따라 분류하고 그 수를 세어 보세요.

색깔	노란색	초록색	빨간색	파란색
기호	㉠, ㉥, ㉧	㉡, ㉢, ㉪	㉣, ㉨, ㉫	㉤, ㉩
수(개)	3	4	3	2

3 공을 종류에 따라 분류하여 그 수를 세어 보세요.

종류	축구공	농구공	배구공
세면서 표시하기			
수(개)	6	5	4

4 저금통에 있는 돈을 금액에 따라 분류하여 그 수를 세어 보세요.

금액	500원	100원	50원
세면서 표시하기			
수(개)	3	7	5

[5~7] 색연필을 보고 물음에 답하세요.

5 색깔에 따라 분류하여 그 수를 세어 보세요.

색깔	빨간색	파란색	노란색	초록색
수(개)	6	4	2	3

6 가장 많은 색깔은 무엇일까요?

(**빨간색**)

❖ 가장 많은 색깔은 6개인 빨간색입니다.

7 가장 적은 색깔은 무엇일까요?

(**노란색**)

❖ 가장 적은 색깔은 2개인 노란색입니다.

[8~11] 영아네 반 학생들이 좋아하는 계절을 조사하였습니다. 물음에 답하세요.

여름	겨울	봄	가을	겨울	여름
봄	여름	가을	여름	겨울	봄
겨울	가을	여름	겨울	여름	겨울
여름	봄	겨울	여름	봄	여름

8 계절에 따라 분류하여 그 수를 세어 보세요.

계절	봄	여름	가을	겨울
학생 수(명)	5	9	3	7

9 가장 많은 학생들이 좋아하는 계절은 무엇일까요?

(**여름**)

❖ 9명이 좋아하는 여름입니다.

10 가장 적은 학생들이 좋아하는 계절은 무엇일까요?

(**가을**)

❖ 3명이 좋아하는 가을입니다.

11 □ 안에 알맞은 말을 써넣으세요.

봄을 좋아하는 학생 수는 **가을** 을 좋아하는 학생 수보다 많습니다.

❖ 9>7>5>3이므로 봄을 좋아하는 학생 수(5명)는 가을을 좋아하는 학생 수(3명)보다 많습니다.

5 단원

교과서 개념 확인 문제

정답과 풀이 · p.34

[1~3] 여러 가지 글자가 있습니다. 물음에 답하세요.

| 아 | A | 月 | 강 | d | 土 |
| S | 四 | R | 木 | 물 | K |

1 글자 종류에 따라 분류해 보세요.

한글	영어	한자
아, 강, 물	A, d, S, R, K	月, 土, 四, 木

2 글자 종류에 따라 분류하여 그 수를 세어 보세요.

종류	한글	영어	한자
세면서 표시하기	////	////	////
글자 수(개)	3	5	4

✿ 중복되거나 겹치지 않게 수를 세어 봅니다.

3 가장 많은 글자 종류는 무엇일까요?

(**영어**)

✿ 한글: 3개, 영어: 5개, 한자: 4개이므로 영어가 가장 많습니다.

[4~5] 가영이네 반 학생들이 좋아하는 우유를 조사하였습니다. 물음에 답하세요.

4 종류에 따라 분류하여 그 수를 세어 보세요.

종류	딸기 우유	초코 우유	흰 우유
세면서 표시하기	////	////	////
우유 수(개)	4	5	3

5 가장 많은 학생들이 좋아하는 우유는 무엇일까요?

(**초코 우유**)

✿ 수를 비교하면 5 > 4 > 3이므로
가장 많은 학생들이 좋아하는 우유는 초코 우유입니다.

6 저금통에 들어 있는 동전입니다. 금액에 따라 분류하여 그 수를 세어 보세요.

금액	500원	100원	10원
동전 수(개)	4	9	7

✿ 금액에 따라 ○, ×, ∨, / 등의 표시를 하면서 세어 봅니다.

5단원

교과서 개념 확인 문제

정답과 풀이 · p.34

7 진주네 반 학생들이 가고 싶어 하는 현장 체험 학습 장소를 조사하였습니다. 현장 체험 학습 장소로 어느 곳을 가는 것이 가장 좋을까요?

장소	박물관	동물원	식물원
학생 수(명)	9	12	5

(**동물원**)

✿ 현장 체험 학습 장소는 학생 수가 가장 많은 곳을 가는 것이 좋습니다.

8 시연이네 반 학생 20명을 기준에 따라 분류한 것입니다. 빈칸에 알맞은 수를 써넣으세요.

분류 기준	안경을 쓴 학생	안경을 쓰지 않은 학생
학생 수(명)	11	9

✿ 20 - 11 = 9(명)

9 체육 준비실에 있는 공을 분류하여 그 수를 센 것입니다. 농구공은 축구공보다 몇 개 더 많은지 써 보세요.

종류	야구공	농구공	축구공
수(개)	8	15	6

(**9개**)

✿ 농구공은 15개, 축구공은 6개이므로 농구공은 축구공보다
15 - 6 = 9(개) 더 많습니다.

[10~12] 어느 달의 날씨를 조사하였습니다. 물음에 답하세요.

일	월	화	수	목	금	토
	1 ☀	2 ☀	3 ☀	4 ☀	5 ☂	6 ☂
7 ☀	8 ☀	9 ☁	10 ☂	11 ☀	12 ☁	13 ☀
14 ☀	15 ☂	16 ☀	17 ☀	18 ☀	19 ☀	20 ☁
21 ☀	22 ☀	23 ☀	24 ☀	25 ☁	26 ☂	27 ☂
28 ☀	29 ☀	30 ☁				

☀ : 맑은 날   ☁ : 흐린 날   ☂ : 비 온 날

10 날씨는 모두 몇 가지일까요?

(**3가지**)

✿ 날씨는 맑은 날, 흐린 날, 비 온 날로 모두 3가지입니다.

11 날씨를 분류하여 그 수를 세어 보세요.

날씨	☀	☁	☂
날수(일)	19	5	6

12 어떤 날씨가 가장 적었을까요?

(**흐린 날**)

✿ 조사한 날수가 가장 적은 날씨는 흐린 날입니다.

5단원

개념 확인평가

5. 분류하기

맞은 개수

정답과 풀이 p.35

[1~3] 단추를 보고 물음에 답하세요.

1 단추를 분류한 기준에 ○표 하고, 그 수를 세어 보세요.

분류 기준은? → (구멍의 수) 단추 색깔 단추 모양

구멍의 수	2개	4개
수(개)	11	7

2 단추를 분류한 기준에 ○표 하고, 그 수를 세어 보세요.

분류 기준은? → 구멍의 수 단추 색깔 (단추 모양)

모양	삼각형	사각형	원
수(개)	4	8	6

3 단추를 분류한 기준에 ○표 하고, 그 수를 세어 보세요.

분류 기준은? → 구멍의 수 (단추 색깔) 단추 모양

색깔	빨간색	파란색	검은색
수(개)	5	4	9

[4~6] 동물을 정해진 기준에 따라 분류하고 그 수를 세어 보세요.

4

분류 기준: 다리의 수		

다리의 수	없음	2개	4개
기호	㉠, ㉣, ㉑, ㉕	㉡, ㉤, ㉙	㉢, ㉗, ㉘
동물의 수(마리)	4	3	3

5

분류 기준: 활동하는 곳		

활동하는 곳	하늘	땅	물
기호	㉡	㉢, ㉤, ㉔, ㉑, ㉕, ㉗, ㉘	㉠, ㉙
동물의 수(마리)	1	7	2

6

분류 기준: 이동 방법			

이동 방법	기어 다님	걸어 다님	날아 다님	헤엄침
기호	㉣, ㉑	㉢, ㉤, ㉗, ㉘	㉡	㉠, ㉙
동물의 수(마리)	2	5	1	2

개념 확인평가

5. 분류하기

정답과 풀이 p.35

[7~10] 10월 한 달의 날씨를 조사하였습니다. 물음에 답하세요.

일	월	화	수	목	금	토
		1 ☀	2 ☁	3 ☂	4 ☂	5 ☁
6 ☀	7 ☀	8 ☁	9 ☀	10 ☀	11 ☀	12 ☀
13 ☀	14 ☀	15 ☁	16 ☀	17 ☁	18 ☀	19 ☀
20 ☁	21 ☂	22 ☁	23 ☀	24 ☀	25 ☀	26 ☁
27 ☀	28 ☀	29 ☀	30 ☁	31 ☁		

☀ : 맑은 날   ☁ : 흐린 날   ☂ : 비 온 날

7 날씨에 따라 분류하고 그 수를 세어 보세요.

날씨	맑은 날	흐린 날	비 온 날
날짜			3, 4, 21
날수(일)	19	9	3

1, 6, 7, 9, 10, 11, 12, 13, 14, 15, 16, 18, 19, 23, 24, 25, 27, 28, 29

2, 5, 8, 17, 20, 22, 26, 30, 31

8 가장 많은 날수는 어떤 날씨인지 써 보세요.

(맑은 날)

9 가장 적은 날수는 어떤 날씨인지 써 보세요.

(비 온 날)

❖ 비 온 날수가 3일로 가장 적습니다.

10 맑은 날은 흐린 날보다 며칠 더 많은지 식을 쓰고 답을 구해 보세요.

식 ⟶ 19-9=10

답 ⟶ 10일

❖ (맑은 날수)−(흐린 날수)=19−9=10(일)

[GO! 매쓰]
여기까지 5단원 내용입니다.
다음부터는 6단원 내용이
시작합니다.

정답과 풀이 · **35**

교과서 개념 잡기

개념 ① 여러 가지 방법으로 세어 보기

• 하나씩 세기

1 2 3 4 5 6 7 8

➡ 귤을 하나씩 세면 1, 2, 3, 4, 5, 6, 7, 8이므로 모두 8개입니다.

• 뛰어 세기

0 1 2 3 4 5 6 7 8

➡ 2씩 뛰어 세면 귤은 2, 4, 6, 8이므로 모두 8개입니다.

• 묶어 세기

➡ 2개씩 묶어 세면 4묶음이므로 귤은 모두 8개입니다.

> **참고**
> 수를 셀 때 같은 수로 묶을 수 없을 때는 묶어서 센 수에 낱개를 더합니다.
> 예 귤 8개는 3개씩 2묶음에 낱개 2개를 더해서 셀 수 있습니다.

> 여러 가지 방법으로 셀 수 있지만 묶어 세는 방법이 가장 편리합니다.

개념 O X

🐑 사과를 3씩 묶어 센 것에 ○표 하세요.

---

1 야구공은 모두 몇 개인지 하나씩 세어 보세요.

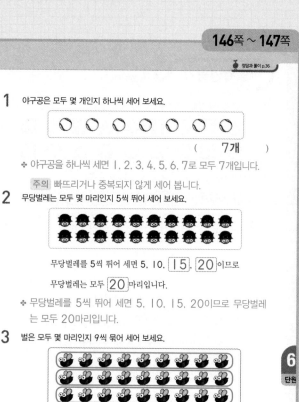

(7개)

❖ 야구공을 하나씩 세면 1, 2, 3, 4, 5, 6, 7로 모두 7개입니다.

> **주의** 빠뜨리거나 중복되지 않게 세어 봅니다.

2 무당벌레는 모두 몇 마리인지 5씩 뛰어 세어 보세요.

무당벌레를 5씩 뛰어 세면 5, 10, 15, 20 이므로 무당벌레는 모두 20 마리입니다.

❖ 무당벌레를 5씩 뛰어 세면 5, 10, 15, 20이므로 무당벌레는 모두 20마리입니다.

3 벌은 모두 몇 마리인지 9씩 묶어 세어 보세요.

9 ― 18 ― 27

벌은 모두 27 마리입니다.

❖ 벌을 9씩 묶어 세면 3묶음이므로 벌은 모두 27마리입니다.

교과서 개념 잡기

개념 ② 묶어 세기

• 5씩 묶어 세기

5 5 5

5씩 3묶음

5 ― 10 ― 15

➡ 도토리는 5씩 3묶음이므로 모두 15개입니다.

• 3씩 묶어 세기

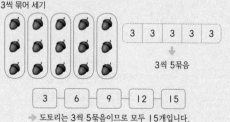

3 3 3 3 3

3씩 5묶음

3 ― 6 ― 9 ― 12 ― 15

➡ 도토리는 3씩 5묶음이므로 모두 15개입니다.

개념 O X

🐻 4씩 묶어 센 것에 ○표 하세요.

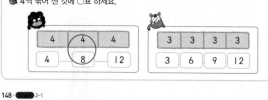

4 4 4
4 8 12

3 3 3 3
3 6 9 12

---

1 풍선은 모두 몇 개인지 알아보려고 합니다. 물음에 답하세요.

(1) 2씩 묶어 세어 보세요.

2 ― 4 ― 6 ― 8 ― 10 ― 12 ― 14

(2) 풍선은 모두 몇 개일까요?

(14개)

❖ (2) 풍선은 2씩 7묶음이므로 모두 14개입니다.

2 □ 안에 알맞은 수를 써넣으세요.

4씩 5 묶음은 20 입니다.

❖ 4 ― 8 ― 12 ― 16 ― 20

3 꽃은 모두 몇 송이인지 □ 안에 알맞은 수를 써넣으세요.

꽃은 3씩 6 묶음이므로 모두 18 송이입니다.

❖ 3 ― 6 ― 9 ― 12 ― 15 ― 18

➡ 꽃은 3씩 6묶음이므로 모두 18송이입니다.

교과서 개념 play 🐷 먹거리의 수 묶어 세기

준비물 붙임딱지

가게에 있는 여러 가지 먹거리의 수를 묶어 세어 보려고 합니다. 묶어 세는 수에 맞게 붙임딱지를 붙이고 ☐ 안에 알맞은 수를 써넣으세요.

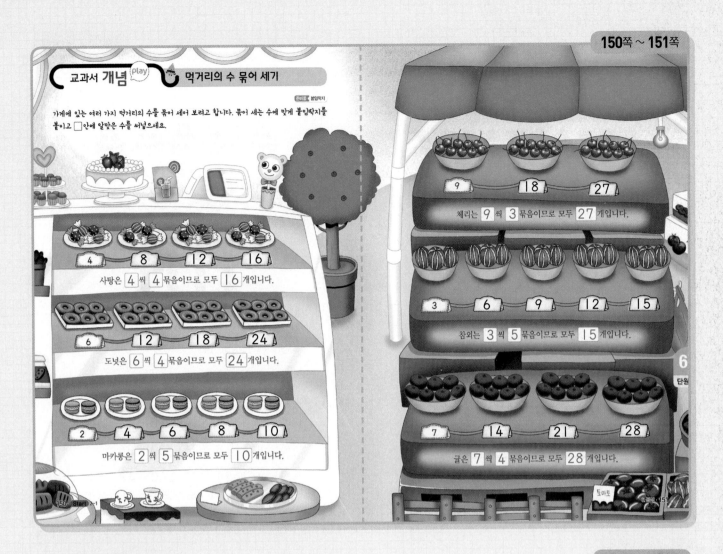

사탕은 4 씩 4 묶음이므로 모두 16 개입니다.

도넛은 6 씩 4 묶음이므로 모두 24 개입니다.

마카롱은 2 씩 5 묶음이므로 모두 10 개입니다.

체리는 9 씩 3 묶음이므로 모두 27 개입니다.

참외는 3 씩 5 묶음이므로 모두 15 개입니다.

귤은 7 씩 4 묶음이므로 모두 28 개입니다.

집중! 드릴 문제

정답과 풀이 p.37

[1~3] 그림을 보고 여러 가지 방법으로 뛰어 세어 보세요.

1

(1) 2씩 뛰어서 세기
2 4 6 8 10 12

(2) 4씩 뛰어서 세기
4 8 12

2

(1) 3씩 뛰어서 세기
3 6 9 12 15 18

(2) 6씩 뛰어서 세기
6 12 18

3

(1) 4씩 뛰어서 세기
4 8 12 16 20

(2) 5씩 뛰어서 세기
5 10 15 20

[4~7] 그림을 보고 묶어 세어 보세요.

4
4 8 12 16

5
6 12 18 24

6
8 16 24

7
7 14 21 28

[8~15] 그림을 보고 ☐ 안에 알맞은 수를 써넣으세요.

8
4씩 3 묶음 ➡ 12 마리

9
3씩 5 묶음 ➡ 15 개

10
8씩 2 묶음 ➡ 16 마리

11
6씩 4 묶음 ➡ 24 개

12
2씩 5 묶음 ➡ 10 마리

13
7씩 3 묶음 ➡ 21 대

14
5씩 4 묶음 ➡ 20 송이

15
9씩 2 묶음 ➡ 18 개

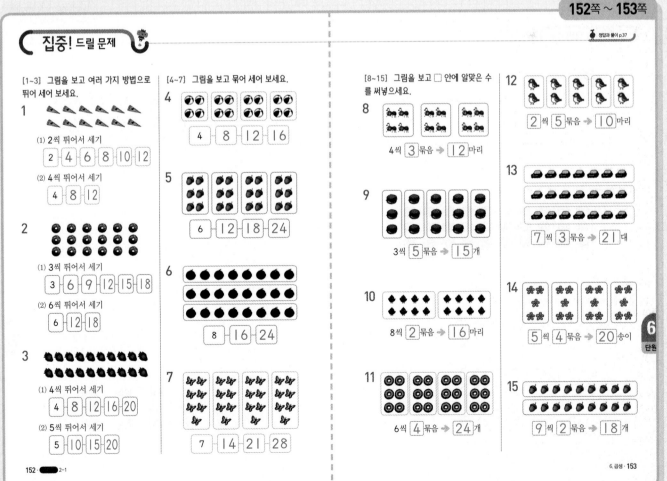

교과서 **개념 확인** 문제

정답과 풀이 p.38

1 컵케이크는 모두 몇 개인지 구하려고 합니다. 물음에 답하세요.

(1) 하나씩 세어 보세요.
Ⅰ, 2, ③, ④, ⑤, ⑥, ⑦, ⑧, ⑨, ⑩

(2) 2씩 뛰어서 세어 보세요.
②─④─⑥─⑧─⑩

(3) 컵케이크는 모두 몇 개일까요?
(10개)

2 오이는 모두 몇 개인지 3씩 뛰어 세고 구해 보세요.

③─⑥─⑨─⑫─⑮─⑱─㉑─㉔
(24개)

❖ 오이를 3씩 뛰어서 세면 3, 6, 9, 12, 15, 18, 21, 24이므로 모두 24개입니다.

3 사과는 모두 몇 개인지 ☐ 안에 알맞은 수를 써넣으세요.

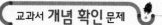

사과는 6씩 4 묶음이므로 모두 24 개입니다.

❖ 사과는 6씩 묶어서 세면 4묶음이므로 모두 24개입니다.

154 · Start 2-1

4 밤은 몇씩 몇 묶음인지 ☐ 안에 알맞은 수를 써넣으세요.

5 씩 5 묶음

❖ 밤은 5씩 5묶음입니다.

5 그림을 보고 ☐ 안에 알맞은 수를 써넣으세요.

(1) 4씩 4 묶음입니다.

(2) 4씩 묶어 세면 4 ─ 8 ─ 12 ─ 16 입니다.

(3) 햄버거는 모두 16 개입니다.

6 묶어 세기한 것입니다. 빈칸에 알맞은 수를 써넣으세요.

(1) 3 ─ 6 ─ 9 ─ 12 ─ 15 ─ 18

(2) 6 ─ 12 ─ 18 ─ 24 ─ 30 ─ 36

(3) 8 ─ 16 ─ 24 ─ 32 ─ 40 ─ 48

❖ (1) 3씩 묶어 세면 3─6─9─12─15─18입니다.
(2) 6씩 묶어 세면 6─12─18─24─30─36입니다.
(3) 8씩 묶어 세면 8─16─24─32─40─48입니다.

6. 곱셈 · 155

교과서 **개념 확인** 문제

정답과 풀이 p.38

7 관계있는 것끼리 이어 보세요.

2씩 8묶음		15
3씩 5묶음		16
6씩 3묶음		18

8 귤을 6씩 묶고 모두 몇 개인지 구해 보세요.

예
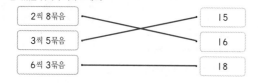

(30개)

❖ 귤은 6씩 5묶음이므로 모두 30개입니다.

9 ☐ 안에 알맞은 수를 써넣으세요.

(1)

2 씩 8 묶음

(2)

4 씩 4 묶음

(3)

8 씩 2 묶음

❖ 16은 2씩 8묶음, 4씩 4묶음, 8씩 2묶음으로 나타낼 수 있습니다.

156 · Start 2-1

10 양은 모두 몇 마리인지 묶어 세려고 합니다. ☐ 안에 알맞은 수를 써넣으세요.

(1) 4씩 7 묶음이므로 모두 28 마리입니다.

(2) 7씩 4 묶음이므로 모두 28 마리입니다.

❖ (1) 양은 4씩 묶어 세면 7묶음이므로 모두 28마리입니다.
(2) 양은 7씩 묶어 세면 4묶음이므로 모두 28마리입니다.

11 ☐ 안에 알맞은 수를 써넣으세요.

(1) 3씩 4묶음은 4씩 3 묶음입니다.

(2) 8씩 5묶음은 5씩 8 묶음입니다.

❖ (1) 3씩 4묶음은 12이고, 12는 4씩 3묶음과 같습니다.
(2) 8씩 5묶음은 40이고, 40은 5씩 8묶음과 같습니다.

12 꽃은 모두 몇 송이인지 묶어 세어 보세요.

(15송이)

❖ 꽃은 5씩 3묶음 또는 3씩 5묶음이므로 모두 15송이입니다.

6. 곱셈 · 157

교과서 개념 잡기

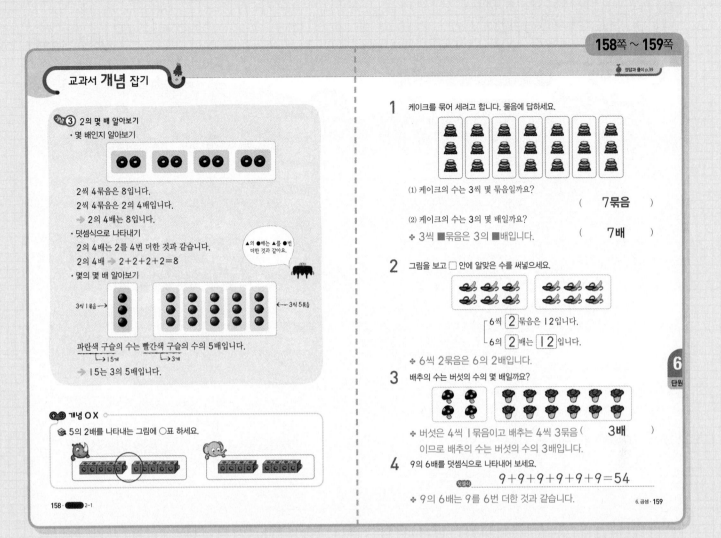

개념 ③ 2의 몇 배 알아보기

• 몇 배인지 알아보기

2씩 4묶음은 8입니다.
2씩 4묶음은 2의 4배입니다.
➡ 2의 4배는 8입니다.

• 덧셈식으로 나타내기
2의 4배는 2를 4번 더한 것과 같아요.
2의 4배 ➡ 2+2+2+2=8

▲의 ●배는 ▲를 ●번 더한 것과 같아요.

• 몇의 몇 배 알아보기

3씩 1묶음   3씩 5묶음

파란색 구슬의 수는 빨간색 구슬의 수의 5배입니다.
↳15개 ↳3개
➡ 15는 3의 5배입니다.

개념 O X

📝 5의 2배를 나타내는 그림에 ○표 하세요.

158 · 2-1

1 케이크를 묶어 세려고 합니다. 물음에 답하세요.

(1) 케이크의 수는 3씩 몇 묶음일까요?
(7묶음)

(2) 케이크의 수는 3의 몇 배일까요?
(7배)
❖ 3씩 ■묶음은 3의 ■배입니다.

2 그림을 보고 □ 안에 알맞은 수를 써넣으세요.

┌ 6씩 [2] 묶음은 12입니다.
└ 6의 [2] 배는 [12] 입니다.

❖ 6씩 2묶음은 6의 2배입니다.

3 배추의 수는 버섯의 수의 몇 배일까요?

❖ 버섯은 4씩 1묶음이고 배추는 4씩 3묶음
(3배)
이므로 배추의 수는 버섯의 수의 3배입니다.

4 9의 6배를 덧셈식으로 나타내어 보세요.
덧셈식 9+9+9+9+9+9=54

❖ 9의 6배는 9를 6번 더한 것과 같습니다.

6. 곱셈 · 159

6 단원

교과서 개념 잡기

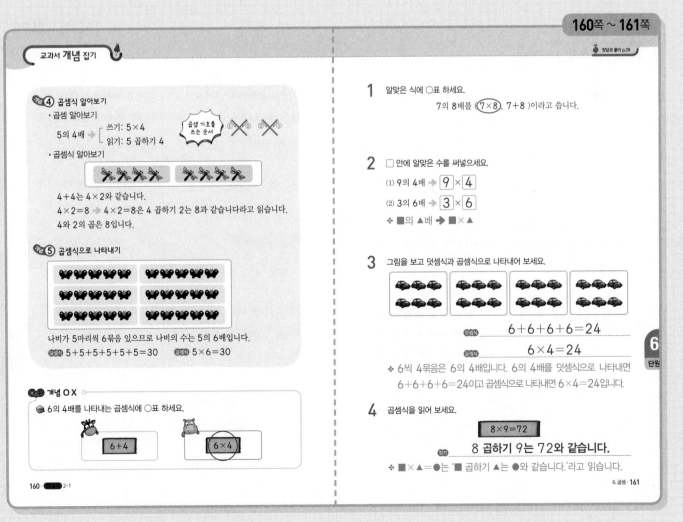

개념 ④ 곱셈식 알아보기

• 곱셈 알아보기
5의 4배 ➡ 쓰기: 5×4
읽기: 5 곱하기 4

곱셈 기호를 쓰는 순서

• 곱셈식 알아보기

4+4는 4×2와 같습니다.
4×2=8 ➡ 4×2=8은 4 곱하기 2는 8과 같습니다라고 읽습니다.
4와 2의 곱은 8입니다.

개념 ⑤ 곱셈식으로 나타내기

나비가 5마리씩 6묶음 있으므로 나비의 수는 5의 6배입니다.
덧셈식 5+5+5+5+5+5=30   곱셈식 5×6=30

개념 O X

📝 6의 4배를 나타내는 곱셈식에 ○표 하세요.

6+4   6×4

160 · 2-1

1 알맞은 식에 ○표 하세요.
7의 8배를 (7×8 , 7+8)이라고 씁니다.

2 □ 안에 알맞은 수를 써넣으세요.
(1) 9의 4배 ➡ [9] × [4]
(2) 3의 6배 ➡ [3] × [6]
❖ ■의 ▲배 ➡ ■ × ▲

3 그림을 보고 덧셈식과 곱셈식으로 나타내어 보세요.

덧셈식 6+6+6+6=24
곱셈식 6×4=24

❖ 6씩 4묶음은 6의 4배입니다. 6의 4배를 덧셈식으로 나타내면
6+6+6+6=24이고 곱셈식으로 나타내면 6×4=24입니다.

4 곱셈식을 읽어 보세요.
8×9=72
읽기 8 곱하기 9는 72와 같습니다.

❖ ■×▲=●는 '■ 곱하기 ▲는 ●와 같습니다.'라고 읽습니다.

6. 곱셈 · 161

6 단원

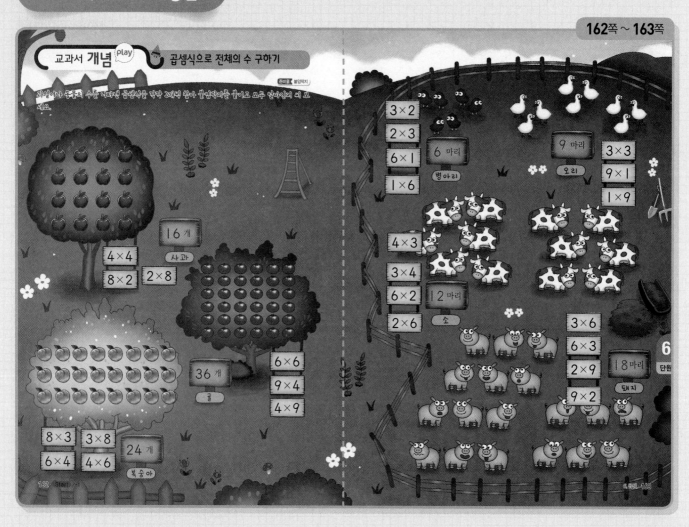

집중! 드릴 문제

정답과 풀이 p.40

[1~5] 보기 와 같이 나타내어 보세요.

보기
6씩 4묶음 ➡ 6의 4배
➡ 6+6+6+6

1 7씩 3묶음 ➡ $\boxed{7}$의 $\boxed{3}$배
➡ $7+7+7$

2 5씩 7묶음 ➡ $\boxed{5}$의 $\boxed{7}$배
➡ $5+5+5+5+5+5+5$

3 8씩 6묶음 ➡ $\boxed{8}$의 $\boxed{6}$배
➡ $8+8+8+8+8+8$

4 3씩 5묶음 ➡ $\boxed{3}$의 $\boxed{5}$배
➡ $3+3+3+3+3$

5 9씩 4묶음 ➡ $\boxed{9}$의 $\boxed{4}$배
➡ $9+9+9+9$

[6~10] 그림을 보고 □ 안에 알맞은 수를 써넣으세요.

6
$2 \times \boxed{4} = \boxed{8}$

7
$6 \times \boxed{2} = \boxed{12}$

8
$\boxed{5} \times \boxed{4} = \boxed{20}$

9
$\boxed{8} \times \boxed{3} = \boxed{24}$

10
$\boxed{4} \times \boxed{3} = \boxed{12}$

[11~16] 곱셈식을 읽어 보세요.

11 $3 \times 7 = 21$
읽기 3 곱하기 7은 21과 같습니다.

12 $4 \times 8 = 32$
읽기 4 곱하기 8은 32와 같습니다.

13 $8 \times 7 = 56$
읽기 8 곱하기 7은 56과 같습니다.

14 $2 \times 9 = 18$
읽기 2 곱하기 9는 18과 같습니다.

15 $6 \times 8 = 48$
읽기 6 곱하기 8은 48과 같습니다.

16 $5 \times 9 = 45$
읽기 5 곱하기 9는 45와 같습니다.

[17~22] 곱셈식으로 나타내어 보세요.

17 8 곱하기 5는 40과 같습니다.
곱셈식 $8 \times 5 = 40$

18 7 곱하기 4는 28과 같습니다.
곱셈식 $7 \times 4 = 28$

19 9 곱하기 3은 27과 같습니다.
곱셈식 $9 \times 3 = 27$

20 2 곱하기 7은 14와 같습니다.
곱셈식 $2 \times 7 = 14$

21 5 곱하기 6은 30과 같습니다.
곱셈식 $5 \times 6 = 30$

22 6 곱하기 9는 54와 같습니다.
곱셈식 $6 \times 9 = 54$

6
단원

교과서 **개념 확인 문제**

정답과 풀이 p.41

1 그림을 보고 □ 안에 알맞은 수를 써넣으세요.

(1) 3씩 **4** 묶음이므로 3의 **4** 배입니다.

(2) 3의 **4** 배는 **12** 입니다.

(3) **3** + **3** + **3** + **3** = **12**

❖ (1) 3씩 4묶음은 3의 4배입니다.

2 가위의 수는 풀의 수의 몇 배일까요?

(**2배**)

❖ 풀은 4개이고 가위는 8개입니다.
   8은 4씩 2묶음이므로 8은 4의 2배입니다.

3 □ 안에 알맞은 수를 써넣으세요.

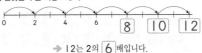

➡ 12는 2의 **6** 배입니다.

❖ 2씩 6번 뛰어 세면 12이므로 12는 2의 6배입니다.

166 · ○○○ 2-1

4 그림을 보고 □ 안에 알맞은 수를 써넣으세요.

(1)

5씩 **4** 묶음 ➡ 5의 **4** 배

(2)

8씩 **3** 묶음 ➡ 8의 **3** 배

5 다음 중 나타내는 수가 다른 것을 찾아 기호를 써 보세요.

| ㉠ 6의 7배 | ㉡ 6+7 | ㉢ 6씩 7묶음 | ㉣ 6×7 |

(**㉡**)

❖ ㉠, ㉢, ㉣은 42를 나타내고 ㉡은 13을 나타냅니다.

6 빵의 수를 곱셈식으로 바르게 나타낸 것을 찾아 이어 보세요.

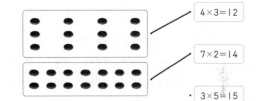

4×3=12

7×2=14

· 3×5=15

6. 곱셈 · 167

교과서 **개념 확인 문제**

정답과 풀이 p.41

7 덧셈식을 곱셈식으로 나타내어 보세요.

(1) 6+6+6+6+6= **30** ➡ **6** × **5** = **30**

(2) 4+4+4+4+4+4= **24** ➡ **4** × **6** = **24**

(3) 9+9+9= **27** ➡ **9** × **3** = **27**

8 □ 안에 알맞은 수를 써넣으세요.

(1) 9의 4배는 **36** 입니다.   (2) 3의 6배는 **18** 입니다.

(3) 4의 5배는 **20** 입니다.   (4) 8의 8배는 **64** 입니다.

❖ (1) 9의 4배 ➡ 9+9+9+9=36 ➡ 9×4=36
   (2) 3의 6배 ➡ 3+3+3+3+3+3=18 ➡ 3×6=18
   (3) 4의 5배 ➡ 4+4+4+4+4=20 ➡ 4×5=20
   (4) 8의 8배 ➡ 8+8+8+8+8+8+8+8=64 ➡ 8×8=64

9 그림을 보고 □ 안에 알맞은 수를 써넣으세요.

거미의 다리는 8개입니다.	8×1=8
거미 2마리	8× **2** = **16**
거미 3마리	8× **3** = **24**
거미 4마리	8× **4** = **32**

❖ · 8+8=16 ➡ 8×2=16
   · 8+8+8=24 ➡ 8×3=24
   · 8+8+8+8=32 ➡ 8×4=32

168 · ○○○ 2-1

10 그림을 보고 □ 안에 알맞은 수를 써넣으세요.

9× **5** = **45** , 5× **9** = **45**

❖ 9씩 묶으면 5묶음이므로 9×5=45입니다.
   5씩 묶으면 9묶음이므로 5×9=45입니다.

11 크기를 비교하여 ○ 안에 >, =, <를 알맞게 써넣으세요.

(1) 5×7 **<** 4씩 9묶음

(2) 7의 2배 **>** 3×4

❖ (1) 5×7=35, 4씩 9묶음 ➡ 4의 9배 ➡ 4×9=36
   (2) 7의 2배 ➡ 7×2=14, 3×4=12

12 귤이 한 봉지에 6개씩 들어 있습니다. 3봉지에 들어 있는 귤은 모두 몇 개일까요?

(**18개**)

❖ 6개씩 3봉지 ➡ 6의 3배 ➡ 6+6+6=18 ➡ 6×3=18

6. 곱셈 · 169

정답과 풀이 · **41**

개념 **확인평가** 6. 곱셈

맞은 개수

정답과 풀이 p.42

1 나비는 모두 몇 마리인지 하나씩 세어 보세요.

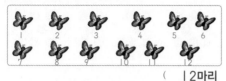

(12마리)

❖ 빠뜨리거나 중복되지 않게 세어 봅니다.

2 아이스크림은 모두 몇 개인지 6씩 뛰어 세고 구해 보세요.

6 — 12 — 18 — 24 — 30

(30개)

❖ 6씩 뛰어 세면 6, 12, 18, 24, 30입니다.

3 사탕의 수를 곱셈으로 바르게 나타낸 것은 어느 것일까요? ········· (②)

① 2×6   ② 3×6   ③ 6×6
④ 3×5   ⑤ 8×6

❖ 3씩 6묶음이므로 곱셈으로 나타내면 3×6입니다.

170 · Start 2-1

4 □ 안에 알맞은 수를 써넣으세요.

7씩 6묶음 ➜ 7의 6 배

➜ 7 + 7 + 7 + 7 + 7 + 7

5 그림을 보고 □ 안에 알맞은 수를 써넣으세요.

(1) 2씩 8 묶음은 16 입니다.

(2) 2씩 8 묶음은 2의 8 입니다.

(3) 2의 8 배는 16 입니다.

❖ 2씩 8묶음은 2의 8배입니다.

6 식빵의 수는 케이크의 수의 몇 배일까요?

(2배)

❖ 케이크는 6씩 1묶음이고 식빵은 6씩 2묶음이므로 식빵의 수는 케이크의 수의 2배입니다.

6. 곱셈 · 171

6
단원

개념 **확인평가** 6. 곱셈

정답과 풀이 p.42

7 관계있는 것끼리 이어 보세요.

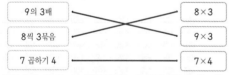

9의 3배   —   8×3
8씩 3묶음   —   9×3
7 곱하기 4 —   7×4

❖ 9의 3배 ➜ 9×3, 8씩 3묶음 ➜ 8의 3배 ➜ 8×3, 7 곱하기 4 ➜ 7×4

8 □ 안에 알맞은 수를 써넣으세요.

(1) 48은 6의 8 배입니다.

(2) 63은 7의 9 배입니다.

❖ (1) 6+6+6+6+6+6+6+6=48
       (8번)

   (2) 7+7+7+7+7+7+7+7+7=63
       (9번)

9 연필은 모두 몇 자루인지 곱셈식으로 나타내고 답을 구해 보세요.

식 4×6=24

답 24자루

❖ 4씩 6묶음을 곱셈식으로 나타내면 4×6=24이므로 연필은 모두 24자루입니다.

172 · Start 2-1

[GO! 매쓰]
수고하셨습니다. 앞으로 Run 교재와 Jump 교재로 교과+사고력을 잡아 보세요.

Memo

Memo

단원별 기초 연산 드릴 학습서

최강 단원별 연산은 내게 맡겨라!

천재
계산박사

교과과정 바탕

교과서 주요 내용을
단원별로 세분화한 12단계 구성으로
실력에 맞는 단계부터 시작 가능!

연산 유형 마스터

원리 학습에서 계산 방법 익히고,
문제를 반복 연습하여
초등 수학 단원별 연산 완성!

재미 UP! QR 학습

딱딱하고 수동적인 연산학습은 NO!
QR 코드를 통한 〈문제 생성기〉와
〈학습 게임〉으로 재미있는 수학 공부!

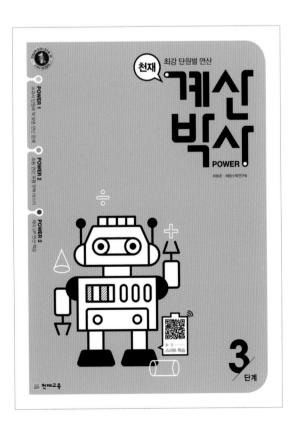

탄탄한 기초는 물론
계산력까지 확실하게!
초등1~6학년(총 12단계)

정답은
이안에
있어.!

난이도 별점
쉬움 ★
보통 ★★★
어려움 ★★★★★
최상위 ★★★★★★★

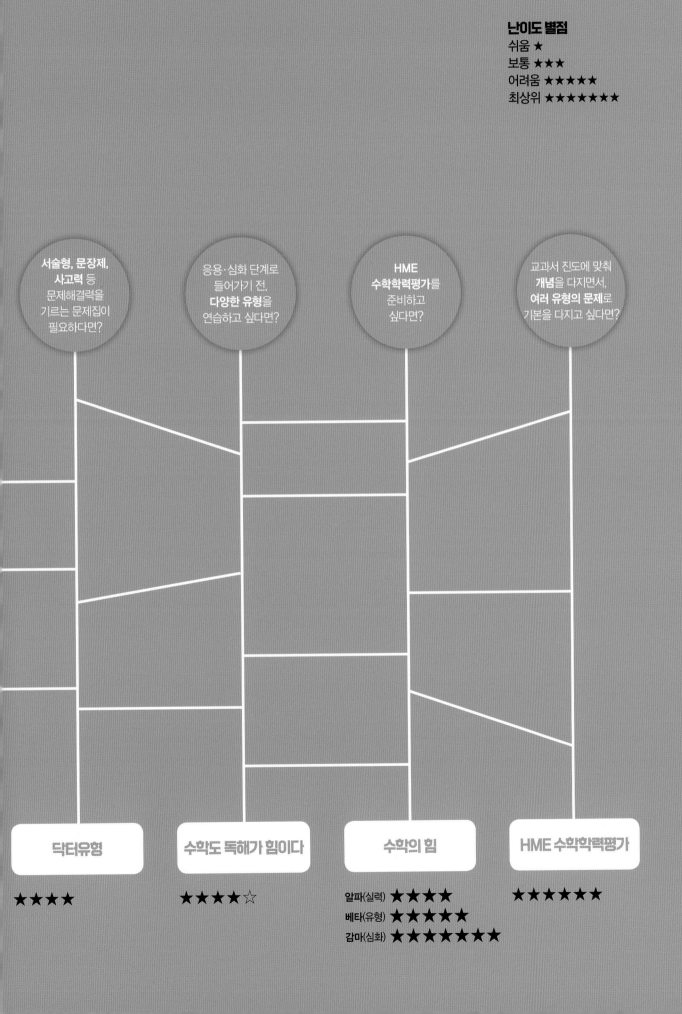

서술형, 문장제, **사고력** 등 문제해결력을 기르는 문제집이 필요하다면?

응용·심화 단계로 들어가기 전, **다양한 유형을** 연습하고 싶다면?

HME **수학학력평가를** 준비하고 싶다면?

교과서 진도에 맞춰 **개념을** 다지면서, **여러 유형의 문제로** 기본을 다지고 싶다면?

닥터유형

수학도 독해가 힘이다

수학의 힘

HME 수학학력평가

★★★★

★★★★☆

알파(실력) ★★★★
베타(유형) ★★★★★
감마(심화) ★★★★★★★

★★★★★★

배움으로 행복한 내일을 꿈꾸는
천재교육 커뮤니티 안내

. . .

교재 안내부터 구매까지 한 번에!
천재교육 홈페이지

천재교육 홈페이지에서는 자사가 발행하는 참고서,
교과서에 대한 소개는 물론 도서 구매도 할 수 있습니다.
회원에게 지급되는 별을 모아 다양한 상품 응모에도
도전해 보세요.

구독, 좋아요는 필수! 핵유용 정보 가득한
천재교육 유튜브 <천재TV>

신간에 대한 자세한 정보가 궁금하세요?
참고서를 어떻게 활용해야 할지 고민인가요?
공부 외 다양한 고민을 해결해 줄 채널이 필요한가요?
학생들에게 꼭 필요한 콘텐츠로 가득한 천재TV로 놀러오세요!

다양한 교육 꿀팁에 깜짝 이벤트는 덤!
천재교육 인스타그램

천재교육의 새롭고 중요한 소식을 가장 먼저 접하고 싶다면?
천재교육 인스타그램 팔로우가 필수!
누구보다 빠르고 재미있게 천재교육의 소식을 전달합니다.
깜짝 이벤트도 수시로 진행되니 놓치지 마세요!